Bolash

D1269894

Alison Leslie Gold

Mon amie, Anne Frank

Traduit de l'anglais (États-Unis)
par Isabelle Bézard

BAYARD ÉDITIONS

Ce livre est dédié aux enfants et petits-enfants
de Hannah Pick-Goslar et à son gendre Shmuel Meir,
Député-Maire de Jérusalem,
qui mourut tragiquement le 3 décembre 1996.
Il est également dédié à Miep Gies,
qui veilla sur Anne Frank.

Illustration de couverture : Pierre Mornet

Ouvrage publié originellement par Scholastic Inc.,
555 Broadway, New York, NY 10012, USA.
sous le titre : MEMORIES OF ANNE FRANK :
REFLECTIONS OF A CHILDHOOD FRIEND
© Alison Leslie Gold, 1997
Tous droits réservés.

© Bayard Éditions, 1998
3, rue Bayard, 75008 Paris
ISBN : 2 227 73903 7
Dépôt légal : novembre 1998

Loi 49-956 du 16 juillet 1949 sur les publications destinées à la jeunesse
Reproduction, même partielle, interdite

Chapitre 1

Hannah Goslar s'apprêtait à sortir pour retrouver son amie Anne Frank. Elle enfila une robe légère et brossa ses cheveux châtains si fort qu'ils crépitèrent d'électricité statique. Elle était fière de ses cheveux, de ses doux yeux bruns et de son teint velouté. Elle était plutôt grande et mince.

Sur sa robe, juste à l'endroit du cœur, sa mère avait cousu une étoile à six branches, l'étoile de David. Tous les Juifs étaient obligés de la porter. Hannah était fière d'être juive. Mais depuis que les

Allemands arrêtaient et persécutaient les Juifs, Hannah trouvait que cette étoile était devenue trop voyante. Elle avait l'impression d'être une cible sur un champ de tir.

C'était le 7 juillet 1942. Le soleil brillait sur Amsterdam et sur tous les Pays-Bas. L'année scolaire venait de se terminer : la remise des diplômes avait eu lieu le vendredi précédent.

Hannah alla retrouver son père. C'était un homme grand et blond, avec des yeux noisette. Il avait fini depuis longtemps ses prières du matin, et maintenant il buvait son café à la cuisine. Elle l'embrassa. Il semblait préoccupé.

– La vie est devenue fade, lui dit-il. Ce café n'a aucun goût. Les nazis mettent la main sur tout ce qui a du goût et l'envoient en Allemagne.

Depuis que l'Allemagne avait envahi les Pays-Bas, les parents de Hannah ne dormaient plus. M. Goslar avait beaucoup de mal à faire vivre sa famille. Comme une nouvelle loi interdisait aux

Juifs la plupart des professions, M. Goslar n'avait plus le droit d'exercer son métier d'économiste. Il gagnait à peine de quoi les nourrir en faisant quelques travaux de traduction et des expertises pour d'autres réfugiés. Ces derniers temps, il fabriquait de la crème glacée avec M. Giroudi, un Italien qui vendait des glaces dans la rue.

Hannah donna un baiser à sa petite sœur Gabi et alla rejoindre sa mère pour l'embrasser avant de partir.

Elle la trouva sur le balcon qui surplombait le jardin. Mme Goslar était une jolie femme, très intelligente. Elle connaissait le latin et le grec, et même l'anglais. Elle était en train d'aider Irma, une jeune réfugiée, à secouer un tapis élimé par-dessus la rambarde. Irma vivait chez eux dans une petite chambre, et, en échange du logement et du couvert, elle secondait Mme Goslar dans l'entretien de la maison. Comme Irma était un peu simple d'esprit,

Mme Goslar était obligée de l'assister même dans les tâches les plus faciles.

Hannah embrassa sa mère. Elle arrivait tout juste à l'entourer de ses bras parce que Mme Goslar attendait un bébé.

Depuis quelque temps, la mère de Hannah était souvent irritée. Au fond d'elle-même, elle rêvait qu'ils retourneraient tous un jour en Allemagne où ils avaient vécu. Les épais tapis persans, le fort café allemand, et pouvoir parler allemand, tout cela lui manquait.

Au moment où elle allait quitter la maison, Hannah entendit sa mère qui l'appelait :

– Hanneli, pourrais-tu me rapporter la balance de Mme Frank ? Je voudrais faire de la confiture avec les petits sachets de pectine que M. Frank m'a donnés l'autre jour. Il faut que je pèse les ingrédients.

– C'est promis ! lui répondit Hannah.

– Sois prudente, Hanneli ! lui conseilla sa mère. Les Allemands attrapent les Juifs dans la rue, et ils les envoient Dieu sait où !

Chapitre 2

Hannah marchait d'un bon pas sur le trottoir bordé d'arbres centenaires. Des dizaines d'Amsterdamois se rendaient à leur travail, juchés sur leurs bicyclettes noires. Il y avait des soldats allemands dans la rue, le visage dur comme la pierre. Leurs gants étaient glissés sous leurs ceinturons, leurs fusils passés en bandoulière. Ils dévisageaient les passants. Mais au contact de la lumière chaude du soleil et de l'air parfumé, Hannah oublia le danger. Elle se sentait légère comme un oisillon qui ébouriffe son duvet tout neuf.

Elle retrouva son amie Jacque et, toutes les deux, elles se dirigèrent vers l'immeuble d'Anne Frank. Hannah connaissait Anne depuis l'âge de quatre ans. Elles avaient longtemps été voisines, mais, par manque d'argent, la famille Goslar avait dû déménager dans un immeuble de la rue Zuider-Amstellaan, où habitaient les grands-parents. Quand elles étaient petites, Hannah et Anne passaient leur temps à s'interpeller d'une fenêtre à l'autre. Maintenant, ce n'était plus pareil.

Ces derniers temps, Hannah était un peu triste, car elles étaient moins amies, Anne et elle. Elles n'étaient plus complices comme avant. Il y avait la guerre, elles avaient treize ans... La vie n'était plus aussi facile que lorsqu'elles étaient petites filles.

Anne n'avait pas sa langue dans sa poche – elle était même parfois impertinente –, et elle adorait s'amuser. D'ailleurs, elle s'intéressait plus à ses amies et à ses petits amis qu'aux cours d'hébreu.

Hannah aimait bien s'amuser elle aussi, mais elle était plus réfléchie. Elle fréquentait la synagogue et se rendait à l'école hébraïque deux fois par semaine.

Devant la porte, Hannah siffla les deux petites notes qui étaient leur signal depuis des années. Elle avait hâte de savoir ce qui s'était passé à la soirée-pyjama qui avait eu lieu la veille chez Anne. Elle l'avait manquée parce qu'elle devait aider sa mère et s'occuper de Gabi. Après, elles feraient une partie de Monopoly, enfin... peut-être.

Pourquoi tout était-il si différent entre elles depuis quelque temps ? Anne était devenue très amie avec Jacque. Celle-ci était timide, mais plus sophistiquée que toutes les filles du groupe. Et puis, Anne passait son temps à tomber *follement* amoureuse.

Hannah, elle, n'avait qu'un seul petit ami. Il s'appelait Alfred Bloch et il avait trois ans de plus qu'elle. Alfred était le neveu du rabbin, il habitait chez lui.

Hannah ne se sentait pas *follement* amoureuse d'Alfred, mais c'était bien son petit ami, lui et pas un autre. Quand elle était avec lui, elle sentait le sang lui monter au visage. C'était délicieux. Il lui avait confié qu'il éprouvait exactement la même chose.

Et puis, Hannah avait une nouvelle amie, elle aussi. Elle s'appelait Ilse Wagner. Elles allaient ensemble à la synagogue.

Elles arrivèrent chez les Frank et sonnèrent à la porte, mais personne ne vint leur ouvrir. Jacque et Hannah patientèrent un peu, puis sonnèrent à nouveau.

Il y a quelques jours, leur petit groupe, le club de ping-pong, s'était retrouvé pour une soirée-pyjama chez Anne. Le club s'appelait « La Petite Ourse moins deux ». Elles avaient ajouté « moins deux » parce que la Petite Ourse compte sept étoiles, alors que le club n'avait que cinq membres. Cette nuit-là, au moment de se déshabiller, Anne avait montré à Hannah et aux autres filles qu'elle portait un vieux soutien-gorge de sa sœur Margot. Elle l'avait rembourré avec du coton pour lui donner des formes. Tout le monde avait éclaté de rire. Jacque, elle, n'avait pas besoin de ce genre de tricherie ; elle était déjà formée.

Pendant ces soirées, leurs discussions tournaient souvent autour de l'amour. En fait, elles se demandaient comment on s'y prend pour s'embrasser ; et cela se terminait toujours par d'énormes crises de fous rires.

Jacque et Hannah sonnèrent une nouvelle fois à la porte. D'habitude, Anne ne mettait pas si longtemps à répondre. Mais là, il ne se passait rien.

Elles étaient sur le point de partir lorsque M. Goldschmidt, l'étudiant qui louait une chambre chez les parents d'Anne, ouvrit la porte et leur demanda ce qu'elles voulaient. Hannah expliqua que sa mère l'envoyait pour emprunter une balance, et qu'elle et Jacque voulaient voir Anne.

– Les Frank sont sortis ? Ils sont à la piscine ? demanda Jacque d'une petite voix.

– Mais non ! Tu sais bien que c'est interdit pour les Juifs, souffla Hannah en la poussant du coude.

– Vous ne savez pas qu'ils ne sont plus là ? demanda l'étudiant. Ils sont partis hier sous la pluie. Je crois qu'ils sont allés en Suisse. M. Frank a des associés là-bas, et puis sa mère y habite. C'est là qu'ils ont dû aller.

Hannah et Jacque se regardèrent, incrédules.

M. Goldschmidt ouvrit la porte en grand pour qu'elles entrent dans l'appartement et jugent par elles-mêmes. Elles entrèrent et virent que tout était comme d'habitude ; tous les meubles, tout ce qui appartenait aux Frank était là. La table de la salle à manger était encombrée de plats.

M. Goldschmidt donna la balance à Hannah.

Avec Jacque elles se dirigèrent tout droit vers la chambre d'Anne. Hannah sentit sa gorge se serrer. Anne ne serait jamais partie sans la prévenir ! Et puis elle aurait emporté ses albums...

Elle tourna la tête en direction de l'étagère : les albums où Anne collait des photos de stars de cinéma et de familles royales n'y étaient plus. Et l'album à carreaux rouges qu'elle venait d'avoir pour ses treize ans avait disparu lui aussi. Il manquait quelques vêtements, le lit n'avait plus de draps, mais presque tout le reste, y compris ses nouvelles chaussures et ses médailles de natation, était là.

Moortje, le chat d'Anne, avança silencieusement dans la chambre et émit un long miaulement triste. Mais enfin, Anne ne pouvait pas avoir abandonné Moortje ! M. Goldschmidt leur apprit que les Frank lui avaient laissé une livre de viande pour nourrir le chat en lui disant qu'il trouverait sûrement un voisin qui l'adopterait. Complètement abasourdies, les filles sortirent de la chambre et regagnèrent la porte d'entrée.

Moortje les suivit, s'arrêta sur le seuil de l'appartement et s'assit sur son arrière-train. Il attendait fidèlement qu'Anne surgisse au coin de la rue.

Hannah sentit monter en elle une bouffée de haine contre les nazis, même si la violence et la haine étaient contraires à sa religion et à son éducation. Si les nazis n'avaient pas envahi les Pays-Bas, s'ils ne persécutaient pas les Juifs, les Frank n'auraient pas fui ce pays qu'ils aimaient tant. Des larmes montèrent aux yeux de Hannah et Jacque. Elles n'eurent pas la force de les retenir. Leur amie s'était purement et simplement envolée avec toute sa famille. Elles ne s'étaient jamais senties aussi désemparées.

Chapitre 3

Hannah serrait la lourde balance en fonte dans ses bras. Au moment où elle atteignait son immeuble, elle aperçut Alfred qui courait vers elle.

– J'étais chez toi. Je suis venu te dire au revoir ! haleta-t-il.

Il avait l'air à bout de nerfs :

– J'ai reçu une convocation des Allemands ! Je dois me faire recenser tout de suite pour le travail obligatoire. Je pars en Allemagne. Je suis venu te dire au revoir !

– Où ça, en Allemagne ? lui demanda Hannah, stupéfaite.

– Je ne sais pas. Dans un camp de travail, sans doute.

– Ton oncle part avec toi ?

– Non. Lui, il n'a pas reçu de convocation. Il n'y a que moi. J'irai seul.

Alfred paniquait. Il n'avait que seize ans. Si seulement il pouvait s'enfuir, en Espagne ou de l'autre côté des montagnes, en Suisse ! Si seulement il connaissait un endroit sûr, quelqu'un de bon qui le cacherait des nazis ! Il essayait de paraître courageux, mais on voyait bien qu'il était transi de peur.

Hanneli aurait aimé faire quelque chose pour lui, mais quoi ? Les larmes aux yeux, elle lui dit au revoir. Alfred promit de lui écrire, et ils se mirent d'accord pour se retrouver après la guerre.

– Oui, lui assura-t-elle, à ton retour, je serai ta fiancée.

En un clin d'œil, il était parti.

Au déjeuner, Hannah regardait fixement son sandwich.

– Anne a bien de la chance ! s'exclama Mme Goslar. Si seulement nous avions un moyen de partir ! On disparaîtrait, nous aussi ! Qui sait si nous ne serons pas arrêtés et envoyés Dieu sait où pour le travail forcé, comme ce pauvre Alfred ? Le rabbin doit être bouleversé. C'est bien triste, tout ça.

Dehors, il commença à pleuvoir. M. Goslar sortit pour rendre visite à des personnes âgées qui se retrouvaient seules à l'hôpital juif. La disparition de la famille Frank avait rendu Mme Goslar encore plus tendue. Elle et son mari étaient des amis proches de M. et Mme Frank. Ils célébraient les jours saints ensemble, prenaient le café ensemble.

Mme Goslar était pâle et avait des marques sombres sous les yeux. Elle perdait patience parce que Gabi faisait la difficile à table. Irma, la jeune réfugiée, avait abandonné toute tentative de lui faire avaler quoi que ce soit.

– Hannah, veux-tu donner à manger au bébé pour que je puisse enfin m'asseoir, boire une tasse de café et fumer une cigarette ? demanda Mme Goslar.

Hannah se mit à donner la becquée à sa petite sœur, qui s'amusait toujours à serrer ses petites dents pointues sur la cuillère. Hannah commença alors le jeu qu'elle avait inventé pour faire manger Gabi :

– Une cuillerée pour moi...

Gabi ouvrait la bouche et avalait la nourriture.

– Une pour maman...

Gabi ouvrait la bouche. De peur que la chance ne tourne, Hannah accélérait le rythme :

– Une pour papa.

Gabi ouvrait la bouche.

– Encore une pour moi !

Mais Gabi gardait la bouche serrée parce que la

règle du jeu voulait que Hannah ne mentionne jamais deux fois la même personne.

– Alors une pour Alfred ! s'exclama Hannah, et elle sentit son cœur se serrer.

Mais où l'envoyait-on ? Serait-il en sécurité ? Serait-il bien traité ?

Dehors, la pluie tombait à verse. Hannah prit le bébé sur ses genoux et commença à lui lire des histoires.

Au milieu de l'après-midi, elle se rendit compte soudain qu'elle n'avait pas appris ses leçons pour l'école hébraïque. Comment pouvait-elle être une bonne élève s'il lui fallait s'occuper tout le temps de Gabi ? Elle était triste, trop d'événements incompréhensibles s'étaient succédé en une seule journée. Elle sentait comme un poids tout au fond de sa poitrine.

Elle s'assit dans la cuisine avec sa mère et l'aida à peser les grosses fraises pour la confiture. Sur le mur, il y avait une mosaïque qu'Alfred avait fabriquée et qu'il lui avait offerte. Elle représentait le mur des Lamentations à Jérusalem. Il lui avait donné une autre mosaïque qui représentait une cascade. Hannah était fière des céramiques d'Alfred ; Anne aussi les avait admirées.

Sa mère fit cuire les fruits avec le sucre ; elle y ajouta la pectine pour faire épaissir la confiture. Les agriculteurs vendaient leurs fraises au mois de juin et, tous les ans, Hannah et Anne tartinaient des tranches de pain avec la délicieuse confiture de Mme Goslar.

Hannah avait la sensation bizarre qu'à chaque seconde Anne pouvait surgir, s'asseoir avec elles et lancer une blague. Ou alors, faire son numéro préféré : se déboîter l'épaule. Chaque fois qu'Anne faisait cela, les gens s'étranglaient de peur, et puis ils éclataient de rire.

Si Anne avait été là, elles auraient toutes les deux léché les grandes cuillères à confiture. Anne aurait sûrement parlé de ses nombreux fiancés et Mme Goslar aurait secoué la tête et levé les yeux au ciel, comme d'habitude. Mais rien n'était comme d'habitude...

Chapitre 4

À l'heure du coucher, les parents de Hannah entrèrent dans sa chambre pour lui souhaiter une bonne nuit. Elle se demanda s'ils savaient quelque chose sur la famille Frank qu'ils ne lui disaient pas. Sa mère et son père lui mentiraient-ils ? Sa mère lui rappela qu'elle devait mettre son appareil dentaire avant de se coucher. Hannah devait le porter toutes les nuits pour redresser ses dents.

Anne venait juste de disparaître, et Hannah avait déjà toute une liste des choses à lui raconter : Alfred qui avait reçu l'ordre d'intégrer les brigades de travail obligatoire et qui allait être transféré en Allemagne, sa mère qui n'arrêtait pas de la rudoyer ces jours-ci... Ça, Anne le comprendrait, parce que sa mère aussi était très nerveuse en ce moment. Et puis, il y avait leur passion du moment, ces fameuses cartes de familles royales ! Elle pourrait lui dire qu'elle venait d'échanger une princesse Élisabeth d'York contre un prince Gustave.

Hannah prit son album photo sur l'étagère et l'ouvrit. Au début, il n'y avait que des photos de M. et Mme Goslar. Ils souriaient, ils étaient jeunes, tout nouveaux mariés. Il y avait des photos de leurs années à Berlin, où ils avaient vécu jusqu'à ce que les nazis prennent le contrôle de l'Allemagne. Les Goslar avaient quitté Berlin et émigré aux Pays-Bas quand Hannah avait quatre ans. Comme les Frank ! Eux aussi, ils étaient venus de Francfort quand Anne avait quatre ans.

Suivaient des photos d'Amsterdam, des photos

de Hannah et d'Anne, toutes seules, ou avec d'autres amies, à différents âges, et une photo de Hannah avec ses parents et ses grands-parents.

Il y avait beaucoup de photos de Gabi. Gabi était née juste au moment où l'armée allemande avait attaqué, puis occupé les Pays-Bas, en 1940. Malgré la guerre, l'arrivée de Gabi avait rendu tout le monde heureux.

Hannah regarda la photo de la chaumière au bord de la mer du Nord où les Goslar louaient des chambres en été. Anne venait les rejoindre pendant les vacances. C'était une petite pension de famille, blanche, avec un toit en chaume noir. Comme la pension ne servait que des repas végétariens, Hannah et Anne l'avaient surnommée « la maison de la tomate ».

Un jour, quand ils étaient sur la côte, M. et Mme Goslar avaient emmené les filles dans un parc d'attractions. Elles devaient avoir huit ans. Hannah et

Anne s'étaient regardées dans des miroirs déformants qui les rendaient monstrueusement grosses comme des curiosités de foire, et elles avaient beaucoup ri. Après, elles avaient observé comment on fabrique des céramiques, qui étaient moulées, puis cuites dans un four. Chaque fille avait reçu ensuite un petit cochon en terre cuite.

Ce soir-là, M. et Mme Goslar étaient partis se promener et elles étaient restées seules à la pension. Il y avait un terrible orage qui faisait claquer tous les volets dans un bruit assourdissant. Un éclair avait déchiré le ciel. Anne avait pleuré, elle avait eu peur parce que ses parents étaient loin d'elle.

Il y avait encore d'autres photos.

Mais aujourd'hui, Anne était partie. Comme elle devait avoir peur, en fuite, loin de chez elle ! Hannah aussi avait peur, pourtant elle était dans son lit à elle. Elle pensa à Alfred, en train de préparer son sac à dos, de dire au revoir à son oncle. Lui aussi, il avait certainement peur. Ils avaient tous peur – quand ils se réveillaient, quand ils se couchaient, peur du moindre bruit. Et ce soir, la vie était plus effrayante encore.

La chambre était plongée dans l'obscurité. Bien que ce fût interdit, Hannah jeta un coup d'œil derrière le store qui masquait la fenêtre. Des flaques d'eau luisaient dans la rue sombre. Le faisceau d'un projecteur balaya le ciel à la recherche d'avions ennemis.

Tout là-haut, des centaines d'avions vrombissaient. La nuit, les avions qui allaient bombarder les villes et les villages allemands survolaient les Pays-Bas. Son père lui avait dit que les Anglais bombardaient Cologne, une ville allemande située sur le Rhin. Hannah pensa à Anne, à sa grande sœur Margot, à Edith et Otto Frank, qui s'enfuyaient quelque part à travers les montagnes dangereuses, qui tentaient d'atteindre la Suisse, où ils seraient enfin en sécurité.

Elle se demanda comment ils arriveraient à passer la frontière, qui était contrôlée par les Allemands. Seraient-ils arrêtés ? Que se passerait-il s'ils étaient pris ? Allait-on leur tirer dessus ? Ou les envoyer dans un camp de concentration ? Elle avait entendu dire que, là-bas, les conditions de vie étaient épouvantables.

Les faisceaux de lumière des projecteurs s'entrecroisaient dans le ciel et traçaient des traînées fantômes sur les nuages. On entendait au loin le son assourdi des tirs antiaériens. Hannah pensa que, là où elle était, Anne devait avoir peur, comme le soir de cet orage d'été, quand elles étaient petites.

Hannah ferma le store et se glissa sous la couverture. Dans sa chambre, il faisait vraiment très noir.

Chapitre 5

Sanne Ledermann était présidente de « La Petite Ourse moins deux », et Jacque, secrétaire. Ilse Wagner, Hannah et Anne étaient les adhérentes du club.

Sanne avait grandi avec les deux amies. Elle était calme, intelligente et toujours drôle. Ilse et Jacque avaient rejoint leur cercle plus récemment. La mère de Jacque était française. Elle travaillait dans une boutique de mode, et les autres filles la trouvaient très chic. Ilse était plutôt réservée et très pieuse.

Les activités du club consistaient à jouer au ping-pong et à raconter des ragots. Mais après la disparition d'Anne, les réunions devinrent sinistres. Les filles se demandaient si Anne était déjà arrivée en Suisse. Elles imaginaient les Frank dans un train. Elles auraient aimé savoir si Anne avait teint ses cheveux, fait quelque chose pour ne pas avoir l'air juive. Évidemment, elles redoutaient terriblement que les Frank ne se fassent prendre. Elles restaient assises longtemps, moroses, regrettant leur amie.

Hannah se rappela qu'avant le départ d'Anne le club s'était réuni dans la salle à manger d'Ilse. Le filet de ping-pong avait été installé sur la table. C'était une journée tellement chaude que les pongistes s'étaient montrées très paresseuses. Finalement, elles avaient arrêté de jouer et s'étaient affalées sur des chaises. Une des filles avait suggéré de remettre leur tournoi à plus tard et d'aller manger des glaces. Bras dessus, bras dessous, elles s'étaient rendues en bande à l'Oasis. C'était un salon de thé tenu par un Juif, et où les Juifs avaient encore le droit d'aller, alors qu'ils étaient déjà exclus de presque tous les restaurants, salons de thé, hôtels, parcs, piscines publiques et de la plupart des magasins.

Elles avaient commandé de la crème glacée pour douze cents. Tout en bavardant, elles surveillaient discrètement les environs, au cas où des garçons passeraient par là.

Plus tard, une soirée-pyjama avait eu lieu chez les Frank. Mme Frank avait servi des beignets qu'elle avait faits elle-même. Elle préparait toujours des douceurs pour les amies d'Anne. C'était les mêmes beignets que ceux qu'elle faisait chaque année pour le Nouvel An. Hannah connaissait bien ce mets car, traditionnellement, chaque 31 décembre, l'une allait dormir chez l'autre, à tour de rôle. Leurs parents les réveillaient à minuit pour qu'elles écoutent sonner les cloches de l'église. Quand elles étaient chez Anne, Mme Frank servait ses délicieux beignets.

En se rappelant cette soirée, Hannah se dit qu'Anne ignorait sûrement qu'elle allait partir. Sinon, elle n'aurait pas été si naturelle.

Un jour, au cours d'une de leurs réunions sans joie, les quatre camarades décidèrent que, lorsque la guerre serait terminée et qu'Anne serait revenue, le club ferait une grande fête. Alors, Anne leur raconterait son incroyable fuite vers la Suisse.

Chapitre 6

Durant l'été, la vie devint de plus en plus difficile. Quatre cents Juifs – des habitants du vieux district juif d'Amsterdam – furent arrêtés. Ce quartier pauvre fut encerclé par des soldats, et les gens furent chargés dans des camions, puis dans des trains. Ensuite, ils disparurent sans laisser de trace.

Le soir, Hannah vérifiait toujours deux fois si la porte d'entrée était bien fermée à clef. Elle vivait dans la hantise d'un coup de poing frappé à la porte au milieu de la nuit. Toute la journée, ils entendaient les moteurs de la Luftwaffe, la force aérienne de Hitler, qui vrombissaient obstinément au-dessus de leurs têtes. En représailles contre les bombardements anglais, la Luftwaffe avait lancé des raids aériens massifs, même en plein jour, sur l'Angleterre.

Chaque semaine, M. Goslar découvrait de nouvelles lois antijuives dans le *Joodse Weekblad*. Pour protéger Hannah, il ne parlait pas de ce qu'il lisait. Mais tard le soir lui et sa femme les commentaient en chuchotant dans la cuisine. Ils ne se rendaient pas compte que ces mêmes lois étaient placardées dans la rue et que Hannah les avait lues elle aussi, en passant devant.

Les comptes en banque des Juifs étaient gelés ; les individus, Juifs et non-Juifs qui n'étaient pas d'accord avec les nazis, étaient constamment arrêtés dans la rue sans raison apparente. On racontait que ceux qui étaient arrêtés se faisaient insulter, qu'ils recevaient des coups de pied, qu'ils étaient battus.

Dans la journée, quand Hannah et Ilse se rendaient à la synagogue, elles entendaient l'incessant bourdonnement des avions bombardiers.

Un soir de grande chaleur, Hannah, M. Goslar et Gabi étaient assis à table avec la grand-mère, le grand-père et Irma. Mme Goslar avait servi des nouilles à la margarine – le beurre était devenu difficile à trouver. Mme Goslar expliqua à Hannah qu'elle et son mari ne pouvaient plus lui cacher la vérité : dorénavant, les Juifs n'étaient admis dans les magasins que deux heures par jour, en fin d'après-midi. « Autant dire qu'à cette heure-là, tous les aliments frais seront partis ! » ajouta sa mère, désabusée.

C'est ainsi que commença le rationnement. Cela signifiait qu'il fallait des coupons pour acheter des quantités très restreintes de nourriture. Il devint difficile pour Mme Goslar de trouver de quoi préparer des repas convenables pour sa famille.

Parfois, elle était trop épuisée pour se rendre au magasin. Sa grossesse touchait à sa fin et elle était très fatiguée. Elle demandait alors à Hannah d'aller faire les courses pour elle.

Un jour, en rentrant de chez le marchand de légumes, Hannah vit un couple de personnes âgées, qu'elle connaissait de vue, se faire arrêter par les soldats. Elle savait que, juste avant la guerre, ces gens avaient dépensé toutes leurs économies pour obtenir des papiers et des billets afin que leurs enfants et leurs petits-enfants puissent partir en Amérique. Aujourd'hui, ils étaient seuls et sans argent.

– Vos cartes d'identité ! aboya le soldat.

Les piétons s'éloignèrent à la hâte. Qu'allait faire le soldat quand il verrait le « J », pour « Juif », tamponné à l'intérieur de leur carte d'identité ?

– Venez avec moi ! cria le soldat, après avoir examiné leurs papiers.

Hannah sentit son estomac se nouer. Le couple fut poussé vers un camion. Le vieil homme portait des lunettes : le soldat le frappa au visage parce qu'il ne se déplaçait pas assez vite. Les pieds de Hannah étaient cloués au sol. Son cœur battait à tout rompre. Elle était blanche comme un linge, ses genoux tremblaient.

Hannah ferma les yeux et fit un vœu : elle souhaita que sa famille et tous les Juifs puissent fuir tant qu'il était encore temps.

Quelques semaines plus tard, les Allemands se mirent à faire des descentes dans le quartier sud d'Amsterdam. On appelait ces descentes des rafles. Non satisfaits d'avoir regroupé les Juifs dans les vieux quartiers pauvres d'Amsterdam, ils organisaient maintenant des rafles jusque dans le quartier des Goslar.

Le père de Hannah leur parla d'une famille qu'il avait connue à la synagogue et qui avait été arrêtée. Il expliqua qu'ils avaient été séparés les uns des autres et déportés pour le travail obligatoire.

« Que deviendrais-je si cela m'arrivait ? Si j'étais séparée de maman et de papa ? » pensa Hannah, terrorisée.

Sa mère lui raconta que les Juifs qui tenaient la boulangerie avaient essayé de s'enfuir, mais qu'ils avaient été pris, et que les gens du dessus cherchaient un endroit pour se cacher, une adresse « sûre ». Une adresse « sûre », c'était un endroit protégé par des Hollandais qui voulaient bien risquer leur vie pour aider des Juifs. Mme Goslar aurait tellement voulu que les Frank les emmènent avec eux !

La semaine suivante, M. Goslar rentra à la maison très excité.

– Écoutez, annonça-t-il en ouvrant un document avec des tampons officiels. J'ai eu de la chance. J'ai pu nous avoir des passeports sud-américains !

Hannah était stupéfaite.

– Ce sont des passeports paraguayens, on va peut-être enfin quitter cette Europe de malheur.

Comme Hannah semblait ne pas comprendre, il rit et se dirigea vers la bibliothèque. Il en rapporta un atlas. Il tourna les pages jusqu'à ce qu'il tombe sur la carte du Paraguay, un pays en plein milieu de l'Amérique du Sud. Il montra à Hannah la capitale : Asunción. « Au cas où on te poserait des questions, il vaut mieux que tu saches où se trouve la capitale du Paraguay », lui dit-il.

Puis il sortit un autre document, officiel celui-là. Il expliqua qu'en raison du haut rang qu'il occupait quand il vivait en Allemagne, ils avaient été inscrits parmi les premiers sur les listes des départs pour la Terre sainte, la Palestine. Il y avait plus de quarante listes pour la Palestine. Eux étaient sur la deuxième.

Mme Goslar était tout excitée :

– Il me faut une tasse de café !

En allant vers la cuisine pour préparer le peu de vrai café qu'elle avait mis de côté pour une occasion spéciale, Hannah entendit, pour la première fois depuis longtemps, son père siffloter des airs de son concerto de Beethoven préféré.

Chapitre 7

L'été passa. En septembre, l'école reprit. Anne partie, ce n'était plus la même chose. Hannah faisait le chemin avec d'autres amies, mais toutes avaient les nerfs à fleur de peau à cause des rafles. Cela faisait bizarre d'aller à l'école sans Anne. Les autres filles étaient gentilles, mais Hannah se sentait seule. Aucune n'était aussi drôle, aussi vivante qu'Anne. Aucune ne la taquinait comme le faisait Anne, et elle, Hannah, n'avait plus personne à qui lancer des blagues.

Elle pensait souvent à la dernière fois qu'elle avait fait ce trajet avec Anne, le long de ces mêmes rues qui menaient au collège. C'était un vendredi, à la fin du mois de juin, un jour très important, le dernier jour avant les grandes vacances. Les cours s'étaient terminés un peu plus tôt parce qu'on devait annoncer les résultats de leurs examens.

Hannah s'était demandé à haute voix si elle serait reçue. Anne lui avait assuré que ses résultats ne pouvaient pas être pires que les siens. Anne avait secoué ses cheveux noirs et épais, dont elle était si fière. Elle ne s'inquiétait pas plus que ça. En réalité, ses parents n'accordaient pas beaucoup d'importance aux notes. D'autres élèves les avaient rejointes, et elles avaient fait le chemin toutes ensemble.

Et puis, soudain, une file de camions pleins de soldats était passée avec fracas devant leur groupe. Avec leurs étoiles jaune vif, les adolescentes ressemblaient à une constellation de la Voie lactée.

Les pneus crissaient ; des mouettes, surprises, s'étaient envolées dans le ciel en lançant de petits cris perçants. Les passants se hâtaient pour libérer la chaussée. Les Hollandais étaient obligés de ravaler leur haine contre les soldats qui les brutalisaient. Les jeunes filles se demandaient ce qui allait se passer.

Un des camions avait traversé le canal et s'était avancé en cahotant vers l'étroite rue pavée. À l'approche du danger, les jeunes Juives s'étaient précipitées sans attendre vers leur collège de la rue Stadstimmertuinen.

Finalement, toutes deux avaient été reçues. Elles passaient dans la classe supérieure. Mais comme elles étaient aussi nulles en maths l'une que l'autre, on leur avait annoncé qu'elles devraient repasser leur examen de maths après les vacances.

Tout cela, c'était en juin dernier, et cela semblait si loin !

Un jour, pour se remonter le moral, sur le

chemin du collège, les amies du petit groupe plaisantèrent en imaginant qu'Anne se trouvait quelque part dans les Alpes suisses, en train de siroter une tasse de chocolat chaud, là, juste ce moment-là, et qu'elle était probablement *follement* amoureuse d'un beau garçon. Et lui, bien entendu, était aussi amoureux d'elle. Elles rirent.

Un autre jour, un homme avec l'insigne des partisans de Hitler avait regardé avec insistance les étoiles jaunes : les choses tournaient de plus en plus mal ! Il devenait vraiment dangereux d'être séparé de ses parents toute la journée. Peut-être valait-il mieux qu'Anne soit partie. Au moins, elle n'était plus piégée à Amsterdam, à la merci des nazis.

Les journées d'automne raccourcirent. Le temps se fit humide et désagréable. On n'avait pas de nouvelles d'Alfred depuis qu'il s'était présenté au recensement pour le travail obligatoire. Là où il se trouvait, il n'avait manifestement pas le droit d'envoyer des lettres.

Hannah alla seule à l'examen de maths qu'elle et Anne auraient dû repasser ensemble. Malgré ses soucis, elle s'était préparée tant bien que mal.

En classe, chaque matin, Hannah jetait un regard autour d'elle. La chaise d'Anne était vide, et chaque semaine, deux ou trois chaises de plus se libéraient. Quand le professeur appelait le nom de la personne qui aurait dû être assise là, il levait les yeux de son cahier et demandait si quelqu'un savait ce qui était arrivé à cet élève. Personne n'était au courant. Tout ce qu'ils savaient, c'était qu'un nouvel élève avait disparu – comme Anne Frank – ; au bout d'une semaine ou deux, le professeur cessait de lire son nom en faisant l'appel.

« Qui sera le prochain ? Est-ce que ce sera moi ? Est-ce que ce sera ma famille ? » se demandait Hannah. Elle avait peur. Tous les élèves avaient peur.

Elle voyait Jacque plus souvent, l'après-midi. Elle se sentait plus proche d'elle maintenant. « Pourquoi ai-je été si jalouse d'elle ? » se demandait-elle.

Hannah se souvenait très bien de l'anniversaire d'Anne. Elles s'y étaient toutes retrouvées. C'était un dimanche, deux jours après sa vraie date d'anniversaire, le 12 juin. Elles s'étaient entassées dans l'appartement d'Anne. Il faisait très chaud, et Hannah avait mis sa plus jolie robe.

Dans le salon plein à craquer, Anne s'était immobilisée pour contempler avec bonheur toutes ses amies qui mangeaient, buvaient et bavardaient autour d'elle, et elle paraissait heureuse. M. et Mme Frank disposaient sur les assiettes de porcelaine des parts de la fabuleuse tarte aux fraises de Mme Frank, et ils servaient des verres de lait.

Margot était très belle ce jour-là. Anne et Hannah trouvaient Margot parfaite. Elles enviaient ses lunettes d'adulte qui la rendaient encore plus jolie et lui donnaient l'air intelligent. Margot était brillante, obéissante, calme et sérieuse. Elle était bonne en maths, bonne en tout d'ailleurs. Pas comme elles... Margot était le type même de la fille absolument parfaite, que toutes les mères rêvaient d'avoir. Pas comme elles...

Après le goûter, on avait tiré les volets et projeté un film américain en se servant du mur comme d'un écran. Le film s'appelait *Le gardien du phare*, avec Rintintin, le berger allemand. Rintintin bondissait de nulle part, et sauvait la vie du gardien et de son jeune enfant.

Comme les Juifs n'étaient plus admis dans les salles de cinéma, c'était le seul moyen qu'ils aient trouvé pour voir un film. Les invitées encourageaient Rintintin quand il saisissait le méchant à la gorge et le traînait à genoux. C'est exactement ce qu'elles rêvaient de faire aux nazis.

Anne aurait adoré avoir un chien comme Rintintin. Hannah, elle, ne voulait pas de chien, elle en avait peur. Elle préférait voir Rintintin au cinéma plutôt qu'en vrai, en train de courir dans la pièce et de renifler ses chaussures. Moortje, qui n'aimait pas les chiens lui non plus, avait quitté le salon, hautain, en balançant sa queue au-dessus de son dos bien rond.

Après le film, Hannah avait dû rentrer pour aider sa mère et s'occuper de Gabi, car Irma avait la migraine. Elle avait cherché Anne pour lui dire au revoir, mais Anne avait disparu. Finalement, elle l'avait trouvée avec Jacque. Visage contre visage, elles étaient en train de parler tout bas et de glousser. Quand Hannah s'était approchée d'elles, leurs murmures s'étaient arrêtés.

« Bonne nuit », avait lancé Hannah et elle avait souhaité encore un bon anniversaire à son amie Anne.

« On se voit demain, on part ensemble au collège », lui avait répondu Anne.

Hannah était partie.

En repensant à cette chaude journée d'anniversaire, Hannah se dit : « Oh oui ! Comme j'étais jalouse de Jacque ! Je ne supportais pas de partager Anne avec qui que ce soit. Si j'avais su ce qui allait arriver, ça n'aurait eu aucune importance. Je n'aurais pas été aussi gamine. »

Elle avait tant de regrets, mais il était trop tard. Anne n'était plus là.

Chapitre 8

Un soir, pendant que Hannah faisait la vaisselle, son père vint la trouver. Il avait entendu parler d'un train plein de jeunes de seize ans qui avaient été envoyés dans les camps de travail obligatoire. Ces jeunes avaient tous l'âge d'Alfred Bloch et de Margot Frank. M. Goslar lui raconta que les parents n'avaient pas eu le droit de leur faire des signes d'adieu, même pas depuis le seuil de leur maison. Les nazis l'avaient interdit.

Mme Goslar poussa un soupir lugubre. Hannah

lava les assiettes lentement, avec soin. Puis elle entendit son père se lamenter : « Ils ne savent donc pas que la vie humaine est sacrée ? »

En allant se coucher, elle aperçut sa mère. Assise sur la table de la cuisine, elle fumait cigarette sur cigarette. Les cigarettes étaient très difficiles à obtenir en ce temps-là, mais Mme Goslar avait beaucoup de mal à s'en passer. Les rations de café aussi étaient très maigres, et, malheureusement, c'était ce que Mme Goslar appréciait plus que tout.

M. Goslar se tenait près d'elle. Il avait mis son châle de prière bleu et blanc à franges et sa calotte. Il priait ardemment. Lui ne fumait pas, et il n'aimait pas du tout voir sa femme fumer alors qu'elle attendait un enfant.

En octobre, il restait très peu d'élèves dans la classe de Hannah. Ils avaient changé de place pour être plus proches les uns des autres. Un jeudi, leur professeur leur annonça qu'il avait de bonnes nouvelles. Une personne qui avait une radio clandestine lui avait appris que les Allemands avaient été battus en Afrique du Nord.

Malgré l'interdiction de parler d'une défaite allemande, ce fut comme si le soleil avait soudain inondé la pièce. Tous les adolescents se redressèrent sur leurs chaises, ils se sentirent comme grandis. Hannah se demanda si Anne avait appris la nouvelle là où elle se trouvait.

Sur le chemin du retour, encore tout excitée, Hannah trouva plusieurs coupons de rationnement de café éparpillés par terre. Elle les ramassa aussitôt et se précipita chez elle pour les donner à sa mère. Sa mère avait un tel plaisir à boire ses précieuses tasses de café que cela valait la peine de braver tous les dangers du monde, même celui d'oser utiliser des coupons qui ne leur appartenaient pas.

Un jour, il y eut une immense rafle dans le vieux quartier juif. Cette fois, on arrêta et emmena non pas des centaines, mais des milliers de personnes. Mme Goslar pleura. « Je sais bien ce qui va suivre ! Si seulement Otto et Édith Frank nous avaient emmenés avec eux ! » se lamentait-elle. Elle était de plus en plus déprimée.

Quand M. Goslar rentra à la maison, sa femme s'effondra sur le canapé et sanglota. Après l'avoir consolée et lui avoir dit de s'allonger, il se mit à creuser un trou dans le mur avec un couteau. Hannah l'aida. Dans la cavité, ils cachèrent des papiers importants et les bijoux de Mme Goslar. Puis ils rebouchèrent le trou et le dissimulèrent derrière une tenture. Ensuite M. Goslar déchira des papiers qui pouvaient être dangereux et il les fit disparaître dans les toilettes.

Un jour d'hiver très froid, un des professeurs de Hannah tomba malade. M. Presser, le professeur d'histoire, le remplaça. M. Presser commença à leur parler de la Renaissance. Il expliqua que la

Renaissance marquait la transition entre le Moyen Âge et l'époque moderne.

Ensuite il continua en parlant d'un écrivain italien qui s'appelait Dante. Il expliqua que Dante avait rencontré Béatrice en 1274. Béatrice fut le grand amour, la bonne étoile, l'inspiration de sa vie. M. Presser s'arrêta brusquement. Il ne pouvait pas continuer. Il cacha son visage dans ses mains et se mit à sangloter.

Stupéfaits de voir les épaules de leur professeur trembler, tous les élèves posèrent leurs stylos et restèrent assis en silence.

M. Presser sortit un mouchoir de sa poche. Il s'essuya les yeux, se leva et sortit de la classe. Les élèves ne bougèrent pas de leurs chaises. Au bout d'un moment, M. Presser revint et leur expliqua que sa femme avait été emmenée la nuit précédente. Puis il les congédia.

Le lendemain, M. Presser ne vint pas à l'école.

Lui aussi, il avait disparu, et on trouva un nouveau professeur.

Au fur et à mesure que des Juifs disparaissaient de leurs maisons, leurs biens étaient saisis et des nazis néerlandais emménageaient dans leurs appartements. Un jour, Ilse Wagner et sa famille furent arrêtées et emmenées. Hannah était bouleversée par la disparition de son amie. Elle était très triste pour elle et terrorisée à l'idée que demain, peut-être, elle-même ne serait plus là.

La peur grandissait un peu plus chaque jour et ne la quittait jamais.

Chapitre 9

Une nuit, on entendit une explosion. M. et Mme Goslar étaient penchés sur la table de la cuisine. Pour gagner quelques florins, ils traduisaient des papiers officiels en allemand pour un réfugié. Que se passait-il ? Bombardait-on Amsterdam ?

Si Amsterdam était bombardée, ils ne pourraient même pas se réfugier dans un abri public, car ceux-ci étaient interdits aux Juifs. Tout ce qu'ils pouvaient faire, c'était prier. Il n'y eut pas d'autre explosion cette nuit-là, mais une nouvelle frayeur

– la peur des bombes – était née. Plus tard, quelqu'un qui avait une radio clandestine apprit qu'un avion britannique qui transportait des explosifs s'était écrasé sur l'hôtel Carlton au centre d'Amsterdam.

Parfois, sur le chemin de l'école, des Hollandais qui remarquaient les étoiles jaunes sur le manteau des jeunes Juifs leur adressaient des sourires de soutien. Hannah passait de temps en temps près du n° 37 sur le Merwedeplein, où Anne avait habité, à deux pas du n° 31, où elle-même avait vécu.

Ces fenêtres, elles les avaient ouvertes en grand, elles s'étaient sifflées, appelées l'une l'autre tant de fois, été comme hiver. Elles pouvaient crier en toute liberté.

Aujourd'hui, les fenêtres des immeubles de briques brunes avec leurs petits toits orange étaient sinistres. Les enfants juifs ne s'interpellaient plus, ils évitaient d'attirer l'attention sur eux. Aujourd'hui, les gens chuchotaient, ils affichaient tous un même air timide et effrayé.

Quand Hannah rentra du collège, elle trouva sa mère, couchée, poussant des gémissements. Son père était penché sur elle. Hannah s'assit au bord du lit, près de sa mère, en se tordant les mains. Mme Goslar lui souffla : « Je pense que le moment est venu pour le bébé. »

En voyant le désarroi de Hannah, Mme Goslar lui rappela que l'accouchement était un moment difficile, mais que, comparé à la joie de la venue d'un bébé, ce n'était rien du tout. Elle embrassa Hannah. « N'aie pas peur, Hanneli. Après tout, c'est comme ça que je t'ai eue ! Il ne peut rien arriver de mal. »

La sueur collait les cheveux de sa mère et trempait le col de sa chemise de nuit. Comme il n'y avait plus de café, Hannah prépara du faux thé pour son père et sa mère. Ses mains tremblaient quand elle apporta les tasses. M. Goslar la remercia et le but bouillant. Mme Goslar souffrait trop pour boire, mais elle demanda à Hannah de rester près d'elle.

« Excuse-moi, Hannah, si je suis souvent de mauvaise humeur. Je me sens tellement mal parfois, j'espère que tu comprends cela. »

« Oui, maman », la rassura Hannah. L'oreiller de sa mère était trempé de sueur.

Peu après, l'infirmière arriva, fit sortir tout le monde de la chambre et ferma la porte derrière elle. Pour faire passer le temps, Hannah compta et recompta les bagues de cigares de sa collection. Elle feuilleta aussi ses albums de timbres. Elle étala par terre ses manuels d'hébreu mais, au lieu d'étudier, elle se mit à classer sa collection de cartes. Il y avait les deux enfants du roi d'Angleterre, la princesse Élisabeth d'York et la princesse Margaret Rose. Les princes hollandais, eux, étaient exilés en Angleterre avec la reine Wilhelmine. La petite Béatrix avait quatre ans, et un visage adorable. Il y avait bien une nouvelle princesse, Irène, plus jeune que Gabi, mais comme elle était née en exil, personne ne connaissait son visage. Le prince Baudouin et le prince Albert de Belgique étaient tous les deux très mignons. Le plus mignon de tous, le petit Carl Gustave de Suède, était encore beaucoup trop jeune pour être intéressant.

Dehors, comme toujours, on entendait des coups de sifflet stridents et des bruits de bottes cloutées. Des soldats, coiffés de casquettes ornées de têtes de mort, arpentaient les rues, le fusil à l'épaule.

La famille Frank aurait été tellement heureuse d'apprendre la naissance du bébé ! Mais Anne ne serait pas là pour le voir. Hannah se disait aussi que, avec ce bébé, il allait y avoir huit bouches à nourrir en comptant grand-mère, grand-père et Irma.

Lorsque son père entra pour lui souhaiter une bonne nuit, elle comprit à sa mine défaite que sa mère n'allait pas bien. Il mit son châle de prière et pria toute la nuit. Hannah pria également.

Le matin, son père lui dit qu'elle devait aller à la synagogue, car c'était sabbat*. Il l'embrassa. Le médecin était venu. Il était très embêté parce que l'accouchement durait trop longtemps. Hannah s'inquiéta durant tout le chemin aller et retour de la synagogue.

Dès qu'elle ouvrit la porte et qu'elle entra dans l'appartement, son père vint à sa rencontre. Il prit ses deux mains dans les siennes. « Maman est morte pendant l'accouchement. Notre bébé aussi. »

Les genoux de Hannah flanchèrent. Elle allait s'évanouir, mais son père l'attrapa et la serra aussi fort qu'il put dans ses longs bras osseux.

À ce moment-là, Gabi se mit à pleurer pour avoir du lait.

Plus les heures passaient, plus ils pleuraient.

* C'est un jour de repos consacré à la prière. Il commence le vendredi soir au coucher du soleil et se termine le samedi soir au coucher du soleil.

Chapitre 10

Des chutes de neige, des arbres nus, le charbon qui manquait, le ciel d'hiver toujours voilé de gris ; toute gaieté avait disparu de leur vie. Un nouveau couple avait emménagé dans leur immeuble. C'était une femme catholique, mariée à un Juif. Elle s'appelait Maya Goudsmit et elle adorait Gabi, et aussi Hannah. Elle ne manquait jamais de dire bonjour à Hannah et de lui dire un mot gentil lorsqu'elle la croisait dans la cour.

Leur vie quotidienne était de plus en plus difficile. Sans transports en commun, se rendre chez le dentiste devint une épreuve pénible. Si Hannah n'avait pas dû porter un appareil la nuit qui nécessitait des réglages fréquents, elle n'y serait pas allée du tout. En partant après les cours, elle devait marcher très loin vers le sud. Quand elle arrivait, le dentiste, un chrétien, la plaignait et lui donnait quelque chose à boire. Anne Frank allait chez le même dentiste, et Hannah et Anne s'étaient souvent rendues ensemble dans cet endroit perdu et effrayant.

Le soleil se couchait très tôt en hiver. Lorsqu'elle sortait de son rendez-vous, il faisait nuit noire. Le retour vers la maison était interminable. Elle avait peur et elle grelottait.

Un jour, ce qu'ils redoutaient arriva. Ils entendirent des coups frappés à leur porte. Des soldats passaient dans chaque immeuble, et des haut-parleurs placés sur les camions de l'armée appelaient les Juifs à quitter leurs appartements et à se rassembler immédiatement dans la rue. Sans pouvoir prendre une minute pour rassembler quelques affaires, Hannah, Gabi, M. Goslar, Grand-père, Grand-mère et Irma furent escortés jusqu'à un tramway.

Le tramway passa devant de grands immeubles très anciens le long du canal, dans un des plus vieux quartiers de la ville. De la brume montait des canaux. D'étroites maisons à pignons se blottissaient les unes contre les autres. Partout, des pancartes interdisaient l'accès aux Juifs : il y en avait sur des rues, des boutiques, des bancs publics. La rue commerçante était déserte, car il y avait de moins en moins de choses à acheter. Le palais royal était vide depuis que la reine était partie en exil.

Sur les canaux, de beaux jeunes hommes manœuvraient des péniches remplies à ras bord de charbon. Debout sur les embarcations, ils poussaient sur de longues perches. D'habitude, ils envoyaient des clins d'œil aux jolies filles qui passaient, mais depuis quelque temps, eux aussi étaient tristes.

Les soldats conduisirent la famille Goslar à un théâtre dans le vieux quartier juif, près du zoo. Le théâtre s'appelait le Théâtre hollandais, mais comme il servait désormais de point de rassemblement pour les Juifs, on l'appelait « le Théâtre juif ». Des centaines de personnes y étaient entassées, toutes plus ou moins terrifiées.

Des soldats armés de fusils les surveillaient. On amena les Goslar à un officier qui examina leurs papiers et qui leur dit de rentrer chez eux. Mais au moment où ils se retournaient pour partir, un soldat posa la main sur l'épaule d'Irma et lui ordonna de rester.

M. Goslar essaya de convaincre l'officier de laisser Irma partir avec eux. Il fut brutalement écarté. Irma se mit à pleurer et à supplier, mais déjà on la poussait vers un groupe de prisonniers.

Elle portait la robe que la mère de Hannah lui avait donnée pour Hanoukka*.

En réalité, Irma ne savait pas qu'il s'agissait d'un cadeau de Mme Goslar. Chaque année, Mme Goslar envoyait Irma chez sa couturière, qui lui montrait une robe en lui disant : « Elle est juste à votre taille ! Ça tombe bien, parce que je l'ai taillée trop petite pour une cliente qui n'en veut plus ! Prenez-la donc. » Irma était un peu simple d'esprit : elle ne découvrit jamais que c'était une manière pour Mme Goslar de lui faire un cadeau.

Maintenant, le soldat retenait fermement Irma, fusil au poing. Dans les yeux de la jeune fille on pouvait lire que, malgré sa naïveté, elle comprenait parfaitement ce qui se passait.

Après la Pâque de 1943, Hannah cessa d'aller à l'école. Elle n'avait que quatorze ans, mais il fallait quelqu'un pour s'occuper de Gabi. Son père

* Fête des Lumières et des enfants. Elle a lieu au mois de novembre ou de décembre et dure une semaine. Chaque soir, on allume une bougie.

lui apprit à faire le ménage, la lessive, le repassage, la cuisine. Il lui montra aussi comment allumer les bougies pour le sabbat. Ils vivaient tous dans la crainte du lendemain. Ils n'avaient presque pas d'argent, et très peu à manger. Mais ils étaient ensemble, c'est ce qui comptait le plus.

Le 20 juin 1943, avant l'aube, on frappa à leur porte. Puis ils entendirent des coups de sonnette précipités. « Y a-t-il des Juifs ici ? » cria une voix en allemand.

M. Goslar alla ouvrir. « *Ja*. Il y a des Juifs ici », répondit-il en allemand.

« Vous avez vingt minutes ! Vous pouvez prendre vingt kilos de bagages, pas plus ! Descendez dans la rue ! Dépêchez-vous ! » ordonna le soldat nazi. Il alla à la porte voisine, où vivaient les grands-parents de Hannah, frappa, cria : « Y a-t-il des Juifs ici ? »

Le sac de Hannah était prêt depuis des mois. Elle l'avait préparé elle-même, toute seule, sa mère n'était plus là pour l'aider, ni celle d'Anne. C'est la mère de Sanne qui lui avait donné du linge et des serviettes hygiéniques, car Hannah allait avoir bientôt ses premières règles.

Hannah sentit qu'elle allait s'évanouir. Son cahier traînait sur la table, à côté de ses manuels d'hébreu et du cartable de son père. Des livres de classe étaient sur une étagère. La pièce se trouvait dans le même état que celle d'Anne au moment où elle s'était enfuie. Comme un lieu que l'on vient de quitter, mais que l'on doit retrouver très vite.

Dans la rue, les ponts au-dessus des canaux avaient été levés. Tout le quartier était bouclé par des soldats en armes. Il y avait des camions et des motos stationnés, bien alignés. Hannah, son père, Gabi, et ses grands-parents restaient blottis les uns contre les autres. Hannah avait les jambes qui tremblaient. Son cœur cognait dans sa poitrine. De plus en plus de gens se rassemblaient dans la rue, on aurait dit que tous les Juifs d'Amsterdam sud s'étaient retrouvés derrière les barrières des nazis.

Ils étaient des centaines : des familles au complet, des personnes âgées, des malades. Il y avait des gens seuls dont la famille avait déjà été arrêtée dans une rafle précédente. Chacun, avec une valise ou un sac à dos, était terriblement effrayé. Il y avait un garçon tout pâle et tellement terrifié que ses parents devaient le porter.

La nouvelle voisine, Maya Goudsmit, accourut jusqu'à eux. Elle avait jeté son manteau par-dessus ses épaules, sur sa chemise de nuit. Elle implora : « Puis-je prendre cette petite fille qui s'appelle Gabi, et la garder avec moi ? » demanda-t-elle au soldat qui se tenait juste devant la famille Goslar. Elle le suppliait de ses yeux sombres et brillants.

Le soldat lui jeta un regard méprisant et lâcha d'une voix forte : « En tant que chrétienne hollandaise, vous n'avez pas honte ? Cet enfant est juif ! »

Et puis des ordres furent crachés par les haut-parleurs :

« Commencez à vous diriger vers les camions ! Vite ! Plus vite ! *Schnell !* »

La voisine cria au soldat : « Je suis chrétienne, et allemande. Et je n'ai pas honte ! »

La foule des Juifs se déplaça en rangs. M. Goslar souleva Gabi d'un bras et passa l'autre sur l'épaule de Hannah. Ses grands-parents se tenaient par la main. Ils avancèrent, bien droits.

En voyant les Goslar qui s'éloignaient, Maya Goudsmit devint pâle comme la craie, ses jambes se dérobèrent et elle s'évanouit.

Chapitre 11

On les conduisit en camion jusqu'à la gare centrale. Ensuite on les entassa dans des wagons à bestiaux. Bien avant que le train démarre, un soldat ferma la porte et l'air devint vite étouffant. Le train prenait la direction de l'est : on les emmenait à la frontière allemande. Au bout d'un voyage de plusieurs heures, le train s'arrêta devant la frontière redoutée.

Des gardes en uniforme vert ouvrirent la porte.

Les prisonniers aperçurent une clôture de fils barbelés. D'un côté, il y avait des sapins et des arbustes, de l'autre, de la boue. Ils étaient arrivés au camp de transit de Westerbork. Un lieu pourri, infesté de moustiques, situé à Drenthe, au nord-est des Pays-Bas.

Tous les Juifs arrêtés durent rester debout, sans bouger, et parfaitement en rangs sur le quai pendant un temps infini. Les Allemands triaient les prisonniers.

Et puis vint le tour du père et du grand-père de Hannah. Ils reçurent l'ordre de se rendre dans les baraquements réservés aux hommes. M. Goslar tendit Gabi à Hannah et embrassa ses enfants avant d'être poussé en avant. Enfin sa grand-mère fut emmenée avec les autres femmes.

Gabi ne pleurait pas, mais elle s'accrochait à Hannah. Quand elle vit s'éloigner les siens, Hannah fut prise de panique. Le sang battait dans ses tempes. Elle garda les yeux fixés sur son père le plus longtemps possible. Sa tête dépassait au-dessus des autres ; il était si grand !

Il ne resta alors sur le quai que des jeunes enfants et quelques filles de son âge. Ils étaient tous très angoissés. Les gardes conduisirent Hannah, Gabi et les autres enfants dans une ruelle pleine d'une boue gluante comme de la colle. Ils entassèrent leurs bagages dans des brouettes manœuvrées par des hommes en salopette marron.

Les enfants furent conduits à l'orphelinat. C'était un baraquement en bois. Au total, il devait y avoir soixante-quinze baraquements dans tout le camp, reliés entre eux par des voies ferrées.

Ils entrèrent dans le bâtiment. Il y avait là des dizaines d'enfants. Hannah reçut un bol et une tasse. Puis elle et Gabi se virent attribuer deux petits lits étroits. C'étaient des lits superposés. Les matelas, très fins, étaient bourrés de copeaux de bois et recouverts d'une grosse toile rugueuse.

Il était tard, elles n'avaient pas dîné, mais Hannah n'avait pas faim.

Quand elles montèrent dans leurs lits durs, elles furent aussitôt attaquées par les puces. Hannah aurait tellement aimé avoir sa mère à côté d'elle ! Mais sa mère était morte. Elle aurait voulu voir son père ou ses grands-parents. Mais c'était impossible. Alors elle pria. Elle pria pour que son père et ses grands-parents soient protégés. Elle pria pour Alfred et pour Anne, où qu'ils soient.

Dans la matinée, on les mena aux toilettes. Puis on montra à Hannah comment faire son lit selon le règlement. Ensuite, elle se dirigea avec les autres enfants jusqu'à une salle remplie de bancs très longs. Un chariot arriva et on leur donna une boisson chaude qui ressemblait à un café très clair. On distribua du lait aux petits, et aussi des morceaux de pain. Elle avait très faim. Gabi et elle engloutirent leur ration jusqu'à la dernière miette.

Hannah découvrit très vite que les baraquements

des hommes étaient proches de l'orphelinat. Quand elle apprit qu'on lui attribuerait un travail, elle se porta volontaire pour nettoyer les toilettes. On lui remit alors un bleu de travail. Quelqu'un lui demanda : « Pourquoi es-tu volontaire pour un travail si dégoûtant, alors que tu pourrais écosser les petits pois, par exemple, ou travailler au potager ? »

La raison, c'était que Hannah savait que la salle d'eau et les toilettes étaient proches de la clôture qui séparait l'orphelinat des baraquements des hommes. Elle espérait apercevoir son père pendant son travail.

Et son intuition se révéla juste. Dès que, munie d'une brosse dure et d'un seau, elle commença à nettoyer les cuvettes de zinc crasseuses, elle vit son père passer. Elle courut vers lui et, pendant quelques instants, ils purent se parler par-dessus la clôture.

Ainsi, deux ou trois fois par jour, elle le voyait passer. Elle réussissait même à lui parler de temps en temps. Elle se sentait toujours beaucoup mieux après avoir vu son père. Parfois elle arrivait à apercevoir son grand-père et sa grand-mère.

Quelques jours après son arrivée, elle reçut un colis de Maya Goudsmit. Il contenait de la nourriture et un livre sur Florence Nightingale, la célèbre infirmière.

Et puis il se mit à faire très chaud. La boue des rues sécha et se transforma en un mélange de terre et de sable fin. Tout fut aussitôt recouvert d'une mince couche de poussière grise, légère comme de la poudre. Des nuées de moustiques pullulaient dans le marais tout proche. Ils infestèrent le camp durant tout l'été. Assaillis par les moustiques et les puces, Hannah et les autres enfants étaient couverts de piqûres rouges qui les démangeaient.

Chapitre 12

À Westerbork, tout le camp vivait dans la terreur des lundis et jeudis soir. La tension montait au cours de la journée, et, le soir venu, tout le monde était dans un état d'hystérie totale. Car les lundis et jeudis soir, la police du camp inspectait chaque baraquement. On lisait les noms des gens qui devaient quitter Westerbork le lendemain pour être transférés.

On entendait des noms : Auschwitz et Sobibor en Pologne, Bergen-Belsen en Allemagne. C'étaient les noms des camps de concentration où se rendaient les convois. Westerbork n'était qu'un camp de transit, et la rumeur disait que, dans les autres camps, on travaillait comme des esclaves. On murmurait que les conditions de vie y étaient beaucoup plus dures. Et aussi que les enfants, les femmes, et ceux qui étaient trop faibles pour travailler mourraient.

« Avec nos papiers palestiniens et nos passeports paraguayens, nous sommes en sécurité », avait assuré M. Goslar. Ainsi, les lundis et jeudis soir, après la lecture des listes faite par le policier du camp en uniforme vert, ceux dont les noms avaient été appelés se retrouvaient dans un état d'angoisse épouvantable. Ils emballaient leurs maigres biens. Souvent ils pleuraient toute la nuit, sachant qu'ils seraient transférés le lendemain vers l'inconnu. Peut-être même seraient-ils tués ?

Les mardis et les vendredis matin, aux premières heures, ceux qui figuraient sur les listes étaient dirigés vers le quai et entassés par les SS dans des wagons à bestiaux qui attendaient là. Leurs affaires étaient empilées très haut sur des charrettes. On pouvait entendre dans tout le camp le son aigu, perçant, du sifflet du train, puis le bruit grinçant des roues quand le convoi quittait la gare.

On n'avait plus jamais de nouvelles des gens qui prenaient ces trains.

Avec l'automne arriva un temps frais et humide. À part un ou deux pulls, Hannah et Gabi n'avaient rien de chaud dans leurs bagages. « Je suis vraiment bête », pensait Hannah. L'humidité traversait leurs vêtements devenus trop petits.

Avec la pluie, la rue redevint boueuse et gluante. Les prisonniers avaient surnommé la rue principale « le boulevard de la misère ». Si Hannah ne faisait pas attention, ses chaussures risquaient de rester prises dans la glaise. Il pleuvait tellement que les murs des baraquements étaient couverts d'éclaboussures vertes et noires.

Entre son travail aux toilettes et les soins qu'elle donnait aux plus petits dans l'orphelinat, Hannah était occupée toute la journée. Mais elle était contente : elle n'était pas seule. Dans le groupe, il y avait un vrai sentiment de camaraderie, comme s'ils étaient tous les survivants d'un naufrage, tous ensemble dans un canot de sauvetage. Un canot de misère, mais un canot qui restait à flot malgré tout, et plein de ferveur juive.

Quelque temps plus tard, Gabi pleura pendant une nuit entière. Hannah ne savait pas quoi faire. Gabi n'arrêtait pas de pleurer. Le matin, Hannah passa la main sur le front de sa petite sœur. Il était brûlant de fièvre. Son corps était secoué de frissons. Ses yeux étaient rouges et exorbités, et son nez coulait.

Gabi tenait ses mains sur ses deux oreilles. Son visage violet se crispait et elle n'arrêtait pas de hurler. Rien ne parvenait à la calmer. Hannah se rendit compte que cela allait très mal. Chaque fois qu'elle essayait de toucher sa sœur, celle-ci écartait ses mains et criait de plus belle. Finalement, Hannah prit la petite fille dans ses bras et la porta au grand baraquement de l'hôpital. Les médecins, qui étaient aussi des prisonniers juifs, opérèrent immédiatement les oreilles de Gabi.

Après sa journée de travail, Hannah retourna à l'hôpital. Lorsqu'elle arriva, son père et ses grands-parents se tenaient près du lit de Gabi.

À partir de ce jour, ils purent se retrouver souvent au chevet de Gabi. Un énorme bandage enveloppait sa tête et ses oreilles. Elle était gravement malade. Ses yeux brillaient toujours à cause de la fièvre, mais elle ne pleurait plus. M. Goslar essaya de la faire manger, mais elle refusa la nourriture. Hannah essaya à son tour, mais elle échoua également.

Un soir, on entendit un bruit de moteurs d'avion très haut dans le ciel. Bien plus tard, au milieu de la nuit, le bruit reprit. Dans le ciel noir, à l'est, brillait la constellation de la Petite Ourse. D'heure en heure, elle montait et traversait la voûte céleste. Plus loin, Hannah apercevait la constellation du Lion.

Anne et Alfred regardaient-ils les mêmes étoiles traverser le ciel ?

Un jour de novembre, une rumeur se propagea dans le camp comme une traînée de poudre : les nazis ne tenaient plus compte des listes spéciales ! Désormais, ceux qui étaient inscrits sur ces listes seraient déportés également. Prise de panique, Hannah alla traîner près de la clôture dans l'espoir d'apercevoir son père. Mais elle ne le trouva pas.

Après le dîner, composé ce soir-là de navets et de pain moisi, un policier du camp entra dans l'orphelinat. Il annonça que les listes palestiniennes n'étaient plus valables et que les gens qui figuraient sur ces listes seraient transférés vers l'est.

Après avoir brassé ses papiers, il ajouta que seules les deux premières listes restaient valables.

Grâce à la position élevée qu'occupait le père de Hannah en Allemagne avant la guerre, sa famille avait été enregistrée sur la deuxième liste. Dès que la police fut partie, Hannah s'enfuit en courant vers l'hôpital. Son père était là, il parlait doucement à Gabi en se penchant sur elle. Et Gabi mangeait une petite tomate.

– Les listes palestiniennes ne sont plus valables, lui dit Hannah.

Il lui répondit qu'il le savait déjà.

– Sauf la première et la deuxième. On est sur la deuxième, c'est bien ça ?

Il fallait qu'elle en soit certaine.

– Oui, Hanneli, nous sommes sur la deuxième liste. Nous sommes épargnés cette fois.

Il lui dit que même s'ils étaient sauvés, il fallait qu'ils prient pour ceux qui devaient prendre les trains du lendemain.

Le lendemain, un convoi exceptionnel d'un millier de personnes quitta le camp. Toute la journée, les baraquements restèrent plongés dans la torpeur.

Puis arrivèrent d'Amsterdam d'autres trains qui amenaient à Westerbork des prisonniers récemment arrêtés. La pluie ne cessait de tomber sous le ciel gris et détrempait les affreuses baraques, les miradors en bois et les baraques S, réservées aux punitions.

Dans les bâtiments S étaient regroupés ceux qui avaient commis des crimes contre les nazis. Ces prétendus « criminels » avaient tenté de fuir, ou avaient été découverts dans des cachettes et arrêtés. D'autres avaient rejoint le mouvement clandestin de résistance, qui organisait des sabotages et aidait ceux qui étaient traqués par les nazis.

Ces « criminels » des bâtiments S se distinguaient des autres prisonniers par un insigne rouge cousu sur leurs vêtements. Les hommes étaient rasés et devaient porter une casquette. On coupait les cheveux des femmes très court. Ces prisonniers recevaient moins de nourriture et étaient affamés. Comme on ne leur donnait pas de savon, ils étaient très sales. Souvent la vermine infestait leurs vêtements.

La pluie continuait à tomber. Quand elle s'arrêta, la température chuta brutalement. Il y eut du verglas, et le moindre déplacement devint dangereux. Hannah ne possédait qu'un pull léger. Elle n'avait aucun moyen de se protéger de l'humidité et du froid, à l'intérieur comme à l'extérieur.

Chapitre 13

Avec le froid, tout gelait dans les toilettes et les lavabos. Cela rendait le travail de Hannah très pénible. À force de récurer avec la poudre à désinfecter, ses mains étaient à vif. Le vent lui piquait les yeux. Une pluie glaçante mêlée de neige tombait sans cesse.

Tous les jours, après avoir fini son travail, Hannah se hâtait vers l'hôpital pour voir sa petite sœur. Heureusement, les médecins qui avaient opéré ses oreilles avaient été adroits. On pouvait à peine distinguer le petit visage de Gabi sous son grand bandage. Lorsque Hannah, son père ou ses grands-parents arrivaient à son chevet, Gabi soulevait ses petites mains pour qu'on les attrape. Elle recommençait à bavarder avec eux.

Après avoir vu sa famille, Hannah se dépêchait de rentrer à l'orphelinat par les rues verglacées. Elle avançait avec précaution pour éviter de glisser.

Le soir, elle et d'autres filles plus âgées s'occupaient des enfants. Elles leur donnaient à manger, lavaient leur linge, changeaient les vieux chiffons qui servaient de couches. Elles les berçaient, jouaient avec eux et leur chantaient des chansons. Elles leur apprenaient les comptines que connaissaient les petits Hollandais.

Une comptine disait :

Kling klang het klotje.

C'était une histoire d'horloge.

Une autre disait :

Constant had een hobbelpaad,
Zonder kop of zonder staart.

Celle-ci parlait d'un cheval de bois qui n'avait ni queue ni tête. Elle faisait rire les enfants.

Souvent, en entendant leurs voix, Hannah se souvenait d'une chanson que le père d'Anne leur avait apprise quand elles étaient petites. Cela faisait :

Yo di wi di wo di wi di waya, katschkaya,
Katschko, di wi di wo di,
Wi di witsch witsch witsch bum !
Ying yang, ying yang bums kada witschki
Yank kai wi di wi, Yang kai wi di wi
Ying yang ying yang ! Bums kada witsche
Yang kai wi di wi. Ajah !

Hanneli et Anne avaient chanté cette chanson sans arrêt quand elles étaient toutes petites. C'était la leur ; personne d'autre ne la connaissait. Otto Frank leur avait raconté que c'était une chanson chinoise, et elles l'avaient cru. Évidemment, elles se rendirent compte plus tard qu'il leur avait fait une blague et que les paroles ne voulaient rien dire. Mais ni l'une ni l'autre n'avait jamais oublié la chanson, leur chanson.

Hanneli se rappela la toute première fois où elle et Anne avaient posé leur regard l'une sur l'autre. C'était en 1933. Leurs mères faisaient des courses chez un épicier du quartier, à Amsterdam sud. Elles arrivaient tout juste d'Allemagne, et avaient engagé la conversation en allemand. La petite Anne et la petite Hannah s'étaient observées. Aucune n'avait dit bonjour. Anne avait de grands yeux et regardait tout autour d'elle avec curiosité. Hannah avait des cheveux brillants, une peau crémeuse. Elle était timide.

Le premier jour à l'école Montessori, Mme Goslar avait dû traîner Hannah de force jusqu'à la porte de la section maternelle. Comme Hannah ne parlait pas néerlandais, elle ne voulait pas aller à l'école. Elle pleura et résista pendant tout le trajet.

Arrivée à la porte de la classe, Hannah s'agrippa à la robe de sa mère, refusant de la lâcher. Puis, à travers ses larmes, elle aperçut une petite fille debout au premier rang qui jouait avec des clochettes. Elle tournait le dos à la porte, mais quand elle se retourna, Hannah reconnut aussitôt la petite fille de l'épicerie. Son visage était radieux, les clochettes tintaient.

La petite fille aperçut Hannah et lui sourit gentiment.

Hannah courut dans ses bras. Elle ne pensait plus à sa mère, elle ne pensait plus à sa peur. La petite fille s'appelait Anneliese Marie, mais tout le monde l'appelait Anne. Et, immédiatement, Anne appela sa camarade Hanneli plutôt que Hannah.

Mais c'était il y a longtemps... Anne avait eu de la chance, elle était en sécurité en Suisse, avec sa sœur, son père, sa mère, et elle portait sûrement des vêtements chauds. Peut-être même qu'elle mangeait un œuf et des toasts beurrés au petit déjeuner ?

La plupart des enfants de l'orphelinat avaient été séparés de leur famille. Certains avaient été cachés par leurs parents et finalement découverts. D'autres avaient été récupérés par les nazis parce que leurs parents avaient été arrêtés. Aucun d'eux ne savait ce qu'étaient devenus ses parents.

Quelques-uns étaient si jeunes, et ils se trouvaient à Westerbork depuis si longtemps qu'ils ne reconnaîtraient peut-être pas leurs parents quand ils les reverraient. Pour certains, Hannah devint comme une mère et ils attendaient avec impatience qu'elle rentre de l'hôpital ou de son travail.

Pour la fête de Hanoukka, les grands jouèrent une pièce devant les plus jeunes. Ils s'inspirèrent d'un poème intitulé « Le plongeur », du grand poète allemand Friedrich von Schiller. Dans ce poème, un roi met au défi ses seigneurs de plonger au plus profond d'une mer dangereuse pour récupérer un gobelet d'or qu'il y a jeté. Comme la mer est très agitée, aucun seigneur n'ose plonger. Finalement, un jeune garçon se jette dans le tourbillon, réussit à vaincre les éléments, et émerge de l'eau, le gobelet à la main.

Le roi, curieux de savoir ce qu'il y a au plus profond de la mer, promet alors au garçon une pierre précieuse inestimable, le rang de seigneur et la main de sa fille, la princesse, s'il replonge au fond de la dangereuse mer et remonte pour raconter ses découvertes. La princesse le supplie de ne pas y aller, mais le garçon plonge à nouveau dans le tourbillon.

À la fin du poème de Schiller, le jeune homme se noie. Mais, pour Hanoukka, les grands modifièrent la fin de la pièce. Quand leur héros resurgissait de la mer déchaînée avec le gobelet, il était fait seigneur, il recevait une pierre précieuse et se mariait avec la princesse. Alors tous les enfants de l'orphelinat applaudirent.

Chapitre 14

Un soir, une femme apprit à Hannah que son amie Sanne Ledermann avait été arrêtée et venait juste d'arriver à Westerbork.

Le lendemain, Hannah aperçut quelqu'un qui lui faisait de grands signes. Elle regarda du mieux qu'elle put. Oui, bien sûr, elle reconnut Sanne. Ça ne pouvait être personne d'autre. C'était fantastique ! Ce jour-là, elles purent échanger quelques mots.

Parfois Hannah passait devant un atelier où des

femmes du baraquement S étaient assises à de longues tables et décortiquaient des vieilles piles. Une fois, elle aperçut Sanne parmi ces travailleuses.

Comme Sanne avait grandi ! Elle avait des allures de femme plutôt que d'adolescente. Hannah pensa aux autres filles de la bande. « Et Anne, qui est si loin ? Et Ilse ? Étaient-elles en sécurité là où elles se trouvaient ? » Sanne n'avait pas de nouvelles de Jacque, mais comme Jacque n'était juive qu'à moitié, elles imaginaient qu'elle était en sécurité, à Amsterdam.

Elles grandissaient toutes, les unes loin des autres. Peut-être qu'après la guerre, elles ne se reconnaîtraient même pas. Hannah put voir Sanne de temps en temps, jusqu'au jour où elle et ses parents furent envoyés à Auschwitz.

C'est également en novembre que le grand-père de Hannah mourut d'une crise cardiaque. La nouvelle remplit Hannah de désespoir. Elle se sentit très triste et abattue.

Il pleuvait sans arrêt. Le dernier lundi de novembre, un policier du camp vint dans le baraquement pour annoncer, comme d'habitude, la liste des transferts du mardi. Il commença à lire les noms. Des cris de terreur couvrirent l'appel, car les noms égrenés un par un n'étaient autres que ceux des enfants de l'orphelinat. Hannah retint son souffle. « Le moment est venu », pensa-t-elle.

Elle écouta, mais elle n'entendit pas son nom.

Le policier conclut en expliquant qu'ils devaient tous préparer leurs affaires et être prêts à partir par le convoi du matin. Hannah avait envie de crier : « Imbéciles, vous ne voyez pas que ce sont des petits enfants sans défense ? Que pourrez-vous faire avec eux ? »

Le policier tourna les talons et ouvrit la porte. Dehors, la pluie continuait de tomber dans un ciel noir comme de la poix. Le policier s'enfonça dans un tourbillon de gouttelettes luisantes et disparut avec sa terrible liste.

L'orphelinat était en ébullition. En regardant alentour, Hannah se rendit compte qu'à part elle et quelques autres, tous les enfants avaient été appelés. Tout le monde avait cru que les enfants ne risquaient rien, et ce soir l'orphelinat était sur le point de se vider complètement !

La nouvelle avait dû se répandre à travers le camp, car plusieurs professeurs et le rabbin Vorst accoururent dans le baraquement. Ils essayèrent de rétablir le calme. Ils connaissaient tous les rumeurs atroces qui circulaient sur le sort réservé aux jeunes enfants et aux personnes âgées dans les camps de concentration de l'est.

Pendant toute la nuit, Hannah réconforta les enfants terrifiés. Aux premières lueurs du jour, elle les aida à emballer leurs petites affaires dans des baluchons. Ses protégés s'accrochaient à son cou, conscients que quelque chose d'atroce allait arriver.

Dans la matinée, le rabbin Vorst revint à l'orphelinat. Il étendit son grand châle de prière à franges, bleu et blanc, au-dessus de la tête de tous les enfants. D'une voix grave, ses larmes coulant sur ses joues et dans sa barbe, il les bénit.

Hannah se couvrit le visage de ses mains et pleura.

Au moment de conduire les enfants vers les trains, les professeurs rejoignirent l'orphelinat avec leurs propres affaires. Ils n'étaient pas inscrits sur les listes, mais ils avaient décidé qu'il était de leur devoir d'accompagner les enfants. Ils monteraient dans les trains avec eux et partageraient leur sort, quel qu'il soit.

Hannah prit dans ses bras deux petits avec leurs sacs. La pluie avait cessé et un soleil froid brillait. Elle avança avec eux. Les autres enfants marchaient en rangs par trois vers les trains. À chaque pas, Hannah sentait tout son être se glacer progressivement.

Un garde lui cria de s'arrêter et de ne pas aller plus loin. À contrecœur, elle tendit ses petits à un professeur. Elle ne pouvait pas les regarder partir et regagna l'orphelinat presque désert. Ses chaussures glissaient sur la boue glacée ; elle entendait les enfants qui chantaient sur le quai. Leurs voix s'élevaient si douces, si chaleureuses, au milieu de toute cette cruauté, tout ce froid.

Sans les enfants, l'orphelinat paraissait irréel.

Le lendemain matin, elle fut soulagée de partir travailler dans les toilettes glaciales.

Chapitre 15

Un matin du mois de janvier de la nouvelle année, 1944, M. Goslar s'approcha du lit d'hôpital de Gabi, alors que Hannah lui donnait à manger. Elle leva la tête et aperçut une lumière dans les yeux de son père.

– Bonne nouvelle ! s'exclama-t-il.

Il expliqua qu'ils seraient bientôt transférés vers un autre camp, tous ensemble.

– Depuis quand les transferts sont une bonne nouvelle ? demanda Hannah d'un ton résolument insolent.

Surprise par sa propre agressivité, elle se demanda si elle aussi devenait impertinente comme Anne Frank. M. Goslar lui expliqua qu'ils avaient été inscrits sur une liste de gens qui allaient partir pour un camp de concentration en Allemagne. Il s'appelait Bergen-Belsen. Le bruit courait que Bergen-Belsen était un camp d'échange, pas un camp de travail. Il lui dit que, grâce à leurs passeports paraguayens et au fait qu'ils étaient sur les premières listes pour la Palestine, ils étaient des prisonniers précieux pour les nazis. Ils pourraient servir de monnaie d'échange contre des prisonniers de guerre allemands. Ils étaient comme des pièces dans un jeu d'échecs.

Hannah se sentit réconfortée par cette nouvelle. Elle demanda quand ils partaient. Son père lui répondit que c'était pour bientôt.

En effet, la veille du 14 février, Hannah entendit le policier du camp appeler son nom et celui de Gabi. Ce soir-là, elle fit son sac. Tous leurs vêtements étaient usés, sales, trop petits. « Stupides affaires d'été », pensa-t-elle en pliant les robes et les chemises qu'elle avait gardées aussi propres qu'elle avait pu avec très peu de savon.

Le matin du 14 février, Hannah, Gabi, son père et sa grand-mère se tenaient prêts sur le quai. M. Goslar avait fait sortir Gabi de l'hôpital tôt dans la matinée. Il la tenait dans ses bras ; Hannah portait leur sac. Les oreilles de Gabi étaient toujours enveloppées de bandages. Le pansement n'était pas très propre et sentait le pus. Gabi regardait partout avec de grands yeux. Elle parlait vite. « Papa. Hanneli. Grand-mère. Train. Soupe. »

Les nombreuses personnes qui devaient être transférées étaient rassemblées sur le quai. Toutes avaient un passeport spécial ou étaient sur des listes particulières. Les gardes les firent se ranger par cinq. Au lieu des wagons à bétail utilisés habituellement pour les transports vers Auschwitz, ils eurent droit à des wagons de passagers. Hannah reconnut quelques visages sur le quai.

Le garde SS frappa leurs papiers d'un tampon rouge, puis il cria : « *Schnell* ! Vite ! »

On les poussa brutalement à l'intérieur du train. M. Goslar, Hannah, Gabi et Grand-mère se retrouvèrent serrés dans un compartiment où il y avait plusieurs autres personnes. Puis les portes furent fermées et verrouillées.

Pendant les deux jours que dura le voyage, le compartiment s'emplit de la mauvaise odeur des pansements de Gabi. Les stores avaient été baissés pour qu'ils ne puissent rien voir de l'extérieur. Ils ne pouvaient pas deviner s'il faisait jour ou nuit, mais ils savaient que le train les conduisait vers l'est redouté. Pendant ces deux jours, on ne leur distribua qu'un peu de pain et une petite quantité d'eau.

Gabi ne cessait de réclamer à manger, mais ils n'avaient presque rien à lui donner. Le train s'arrêtait et redémarrait souvent. Parfois il ralentissait le long d'un quai, mais ne s'arrêtait pas. Finalement il stoppa. La porte du compartiment s'ouvrit. Il faisait jour. Un haut-parleur aboya : « Descendez. Prenez toutes vos affaires avec vous. Marchez vite. *Schnell* ! En rangs. »

Ils obéirent. Ce que Hannah remarqua en premier quand ses pieds touchèrent le sol, c'est qu'ils étaient au milieu de nulle part. Une rangée de SS leur faisait face, épaule contre épaule. D'une main ils tenaient en laisse des bergers allemands au poil gris, de l'autre des fouets. Ils portaient des revolvers à la ceinture.

Les chiens étaient très grands et avaient des yeux jaunes. Ils tiraient sur leurs laisses. Hannah hésita, effrayée d'avoir à passer près d'eux. M. Goslar et Grand-mère savaient qu'elle avait peur des chiens. Ils essayèrent de la protéger, mais elle fut poussée en avant et se retrouva face à face avec leurs crocs menaçants. L'haleine de ces bêtes effrayantes s'échappait dans l'air froid comme de la fumée.

Les soldats emmenèrent tous les occupants du convoi loin du quai. Ils les conduisirent le long d'une route qui traversait un champ couvert de neige et parsemé de saules pleureurs secs et dénudés.

À cause du manque de nourriture, Hannah avait la tête qui tournait. M. Goslar se sentait faible lui aussi, et il devait faire beaucoup d'effort pour rester debout. De grands rouleaux de fil barbelé clôturaient le champ. Le terrain s'étendait à perte de vue, vide. Au loin il y avait des miradors, des baraquements, et encore du fil barbelé. Ils se trouvaient à Bergen-Belsen, dans les landes de Lüneburg, en Allemagne.

On leur ordonna de s'arrêter. Hannah et Gabi furent regroupées avec les mères et les enfants et installées dans un camion. Leur père et leur grand-mère restèrent avec les autres. Le camion démarra et passa devant la longue file d'hommes et de femmes qui avaient repris leur marche. Affolée, Hannah fixa intensément les silhouettes des siens qui disparaissaient au loin. Des larmes glissèrent sur ses joues.

Le camion passa devant une série de camps plus petits à l'intérieur du grand camp, et pénétra finalement dans un nouveau camp qui s'appelait Alballalager. Le camion s'arrêta et on leur dit : « Descendez. Mettez-vous en rangs. »

Les prisonniers furent comptés, puis immédiatement recomptés.

– Où ont-ils emmené mon père et ma grand-mère ? demanda Hannah à une femme qui dirigeait son groupe, et qui avait l'air d'être juive.

– Ils vont être épouillés et mis en quarantaine. Ne t'inquiète pas. Après, tu les reverras.

Cette femme expliqua à Hannah qu'Alballalager était un camp privilégié, qu'on ne lui confisquerait pas ses vêtements, qu'on ne lui raserait pas la tête, que sa famille ne serait pas séparée, qu'on ne leur tatouerait pas un numéro sur le bras. Elle lui dit aussi qu'en fait elle avait beaucoup de chance. Elle pointa son doigt en direction des autres camps, derrière la clôture de fil barbelé, fit une grimace et leva les yeux vers le ciel.

Chapitre 16

Hannah et Gabi furent installées dans un baraquement. Un groupe de prisonniers grecs, qui étaient là depuis longtemps, était chargé de l'organisation. Eux aussi étaient juifs, mais ils s'occupaient du fonctionnement du camp pour les nazis. Certains étaient gentils avec les nouveaux arrivants, d'autres pas.

On attribua à Hannah et à Gabi des couchettes du bas, côte à côte. Chaque lit était fait d'une planche recouverte de paille. Hannah était devenue une mère pour Gabi. Chaque nuit, elle étendait une mince couverture sur la petite fille. Elle se demandait si Gabi se rappelait seulement leur mère. Hannah se souvenait d'elle, elle ne l'oublierait jamais. Et elle se souvenait aussi de ses amies Anne, Sanne, Ilse, Jacque. Elle se souvenait d'Alfred et de Grand-père.

La santé de Gabi était très fragile. Tous les enfants qui avaient moins de trois ans recevaient deux verres de lait, mais Gabi avait trois ans et demi, et elle n'en avait pas du tout. Elle s'affaiblissait de jour en jour, jusqu'au moment où la femme du rabbin de la ville grecque de Salonique lui donna deux verres de lait chaque semaine. Deux verres de lait c'était peu, mais cela pouvait sauver une vie. Hannah n'avait rien à donner en échange du lait. Pourtant, cette femme aurait pu facilement vendre ou échanger ses rations de lait contre un autre aliment ou contre des vêtements, ou bien les donner à ses propres enfants. La femme du rabbin affirmait que c'était son droit de faire ce qu'elle voulait de son lait.

Gabi commença à aller mieux.

Il faisait beaucoup plus froid à Bergen-Belsen qu'à Westerbork. Il faisait plus humide, aussi.

Un matin à l'aube, Hannah sentit une douleur à l'estomac. Quand elle s'assit, tout devint trouble devant ses yeux ; un bourdonnement emplit ses oreilles. Elle se mit à vomir.

Elle se sentait terriblement malade. Elle n'avait pas la force de sortir du lit. Une toux déchirante la secouait. Elle ne pouvait pas s'arrêter de vomir. Elle avait peur, car il fallait qu'elle s'occupe de Gabi.

L'appel avait lieu tous les matins à six heures. Manquer à l'appel signifiait être tué. La tête embrouillée, elle se traîna hors du lit. Elle sortit avec les autres et resta debout dans le rang, soutenue par deux femmes, jusqu'à ce qu'elles soient comptées par les gardes nazis. Elle était au bord de l'évanouissement, incapable de maîtriser ses membres qui tremblaient de plus en plus fort, mais elle tint bon jusqu'au retour dans les baraquements. Puis elle attendit le repas du matin.

Une vieille femme lui demanda si elle avait remarqué que sa peau était jaune. Non, Hannah n'avait pas remarqué. Une peau jaune, c'était le signe de la jaunisse, une maladie dangereuse due à une mauvaise hygiène. Hannah avait vu beaucoup de femmes au visage jaune emmenées à l'hôpital. Certaines n'étaient jamais revenues. C'était donc ça, tous ces atroces symptômes.

Elle se mit à pleurer. Que pouvait-elle faire ? Il n'y avait qu'elle pour s'occuper de sa sœur. Elle essaya de tenir coûte que coûte. Le repas arriva. Tendre le bol de Gabi pour qu'il soit rempli, voilà ce qu'elle devait faire. « Hanneli malade ? » demanda Gabi.

Peu importait que le quignon de pain et le gros morceau de margarine arrivent dans son bol à elle. Manger était le dernier de ses soucis. Ses paupières se fermèrent, et elle vit des petits points danser devant. Elle ne s'était jamais sentie aussi mal de toute sa vie. « Je dois aller à l'hôpital, pensa-t-elle, mais je ne peux pas quitter Gabi. Oh ! mon Dieu, dites-moi ce que je dois faire ? »

Elle sentit alors une main fraîche sur son front. Elle ouvrit les yeux et vit une grande femme debout à côté de celle qui lui avait parlé tout à l'heure.

– C'est ma nièce, dit la vieille femme à Hannah.

– Je suis Mme Abrahams, expliqua la grande femme. Je m'occuperai de votre petite sœur. Vous devez aller à l'hôpital !

Hannah se demanda ce que son père aurait voulu qu'elle fasse.

La vieille dame lui expliqua que sa nièce, Mme Abrahams, avait sept enfants et que Gabi ferait partie de la famille. Mme Abrahams avait cinq filles avec elle, et M. Abrahams était avec leurs deux fils dans un autre baraquement.

– Quand vous sortirez de l'hôpital, nous aimerions que vous aussi, vous fassiez partie de la famille.

– Mais pourquoi ? demanda Hannah, émue par la bonté de la proposition.

Mme Abrahams prit la main brûlante de Hannah dans sa main fraîche. Elle caressa doucement son poignet.

– Je connais votre père. Il aide tout le monde.

Hannah fut reprise de vertige. La nausée revenait. Elle déposa Gabi dans les bras de Mme Abrahams.

– Allez à l'hôpital demain matin à la première heure, Hanneli. Rétablissez-vous. Et quand vous irez bien, venez me voir. Nous formerons une vraie famille.

Chapitre 17

Hannah resta à l'hôpital pendant plus d'un mois. Elle était trop malade pour reconnaître ceux qui l'entouraient, sauf son père et sa grand-mère. Ils venaient à son chevet dès qu'ils le pouvaient. Quelqu'un essaya de la faire boire. Elle comprit les gestes, mais pas les paroles, car la voix lui parlait en grec. La couverture dégageait une odeur de désinfectant et partout elle entendait des gémissements, des soupirs. Et puis le bruit incessant de la pluie battante et des ordres criés au loin.

Quand elle ouvrit enfin les yeux, son père était là, assis à côté d'elle. Elle lui demanda si elle avait déliré longtemps. Il lui répondit que oui. Elle était si faible que le bol émaillé contenant la nourriture pesait trop lourd pour elle. Quand son père s'éloigna du lit, elle l'observa et songea qu'il avait l'allure d'un grand-père ; lui aussi avait vieilli.

Pendant tout le temps qu'elle passa à l'hôpital, la pluie et la neige tombèrent sans arrêt. Quand il ne pleuvait ni ne neigeait, le ciel restait d'un gris d'acier.

Enfin on lui ordonna de regagner les baraquements. Elle se mit debout et marcha difficilement, car ses jambes tremblaient. De l'autre côté des fils barbelés, elle aperçut des cadavres qu'on avait empilés comme un tas de bois, en attendant de les enterrer. Hannah détourna son regard et garda les yeux fixés au sol pour éviter de les voir, et de voir les fosses dans lesquelles on les jetait.

Gabi était très heureuse de la retrouver, elle lança

ses bras autour du cou de Hannah. Elle n'avait plus ses pansements malodorants sur les oreilles, et ses cheveux avaient poussé. Mme Abrahams avait vraiment pris soin de Gabi ; elle avait aussi réservé un lit pour Hannah près de l'endroit où elle vivait avec ses cinq filles.

Malgré le manque de nourriture, Hannah et Gabi avaient continué à grandir, et leurs vêtements ne leur allaient plus. Les enfants de moins de seize ans n'étaient pas censés travailler, mais pendant une courte période Hannah fut désignée, avec un groupe de femmes, pour travailler dans une fabrique de sacs en Cellophane. Chaque jour après l'appel et après le déjeuner composé de pain et d'un café noyé d'eau, elle se rendait à l'usine. Sur le trajet, elle entrevoyait les autres camps.

Elle arrivait à distinguer, à travers les barbelés, des prisonniers vêtus de pyjamas rayés et le crâne rasé. Ils avaient tous l'air affamés et malades. Alballalager était un camp atroce, mais grâce à leur passeport paraguayen et à leur inscription sur la liste palestinienne, Hannah et sa famille avaient au moins un peu de nourriture et d'eau, et ils vivaient dans des conditions meilleures.

L'usine où travaillait Hannah fabriquait des sacs avec des feuilles de Cellophane. Avec un groupe de femmes, elle passait la journée à tresser le Cellophane, puis à tisser les tresses entre elles pour fabriquer de grands sacs. Elles avaient mal aux pieds à force de rester debout toute la journée, mais le travail n'était pas difficile. Au milieu de l'après-midi, deux ou trois femmes apportaient une grande soupière. La soupe était faite de morceaux de navets, avec quelques mauvaises patates au fond. Chacune veillait soigneusement à ce que sa louchée de soupe vienne du fond de la soupière, là où se trouvaient les aliments nourrissants, et pas du haut de la soupière où ce n'était que de l'eau.

M. Goslar, lui, travaillait dans une usine où on

triait d'énormes piles de chaussures militaires. C'étaient des chaussures que les soldats avaient usées dans les batailles. Elles étaient incrustées de boue, déformées et raidies par la pluie, la pourriture et le sang séché. Les prisonniers devaient démonter les chaussures ; ensuite, parmi les vieux morceaux, un autre groupe de prisonniers choisissait les parties les moins abîmées et les remontait. Ainsi, ils confectionnaient des chaussures recyclées.

Ils travaillaient dans la poussière et la saleté. De plus, les prisonniers devaient fabriquer chaque jour un nombre imposé de chaussures. C'était une source d'angoisse permanente.

M. Goslar s'affaiblissait peu à peu. Bientôt, le rabbin de Salonique, que M. Goslar connaissait du temps où ils vivaient à Berlin, dut l'aider à se rendre au travail.

En mai, à force de malnutrition et de surmenage, M. Goslar tomba malade et fut transféré dans les baraques spéciales.

En juillet, la grand-mère fut inscrite sur une des listes de transfert. Au lieu de partir, elle alla voir les SS et leur demanda de supprimer son nom de la liste. Ils pensèrent qu'elle était devenue folle, mais ils firent ce qu'elle voulait.

« Pourquoi ? » lui demandaient les gens. Pourquoi avait-elle renoncé à sa chance d'être transférée ? Sa réponse était simple : elle ne pouvait pas quitter ses petites-filles. Elle comptait rester et les aider tant qu'elle le pourrait. En réalité elle pouvait faire bien peu de chose, mais, au moins, elle restait près d'elles.

Un jour, alors qu'elle se présentait à l'appel, Hannah remarqua qu'on avait dressé de grandes tentes dans un champ qui avait toujours été désert, juste à côté de leur camp. De plus en plus de gens arrivaient par le train chaque jour, tous les camps de Bergen-Belsen débordaient, et maintenant les prisonniers devaient se contenter de tentes. L'ancien camp ne pouvait pas contenir tous les nouveaux arrivants. Des bâtiments se construisaient partout.

Souvent, au moment de l'appel, quand tout le monde avait enfin été compté, les gardes aboyaient aux prisonniers de rester sur place pour être recomptés. Les prisonniers étaient déjà debout depuis une heure, et cela signifiait qu'ils devaient rester debout encore plus longtemps. « Pourquoi faut-il qu'on nous recompte ? » se demandait Hannah.

Quelqu'un lui raconta que les Allemands voulaient être certains que personne ne s'était échappé. « Échappé ? Mais où pourrions-nous nous échapper ? pensa Hannah avec colère. Sans argent, avec des étoiles jaunes sur nos vêtements, sans rien ? En plein centre de l'Allemagne ? »

Chapitre 18

Le temps passa, et ce fut l'hiver. À nouveau, il faisait nuit le matin, quand les prisonniers se présentaient à l'appel, dans le froid. Tout le monde s'habillait et se déshabillait dans le noir. On était en novembre, il faisait si froid que parfois les vêtements gelaient, et une manche pouvait se casser en deux dans la main.

Hannah savait quel mois on était, mais elle ne connaissait pas la date exacte. Peut-être était-ce le 12, le jour de son seizième anniversaire. Mais elle n'en était pas sûre.

Un jour, une terrible tempête souffla toute la journée. Le vent fut si violent que les femmes devaient se tenir par le bras pour pouvoir avancer. Toute la journée on entendit le vent hurler contre les maigres planches de la fabrique.

Le soir, quand Hannah retourna à son baraquement, elle vit les immenses toiles du camp voisin claquer dans le vent. Il y eut une violente bourrasque, et tout à coup les tentes s'écroulèrent. Le camp se trouva plongé dans une grande agitation. Quand Hannah poussa la porte de son baraquement, Gabi accourut vers elle et entoura ses jambes de ses petits bras maigres. Hannah se pencha pour la soulever. Elle pressa ses lèvres glacées contre la joue de Gabi. Malgré le froid qui régnait dans les baraquements, la joue de Gabi semblait chaude sous ses lèvres engourdies.

Gabi montra du doigt un groupe d'hommes en pyjama rayé qui travaillaient dans la bâtisse. Ils démontaient les tables et les bancs en bois et s'affairaient autour des lits.

Ils étaient en train d'ajouter un troisième étage aux lits superposés. Dès qu'ils eurent terminé, des centaines de nouveaux pensionnaires entrèrent et se bousculèrent pour trouver un lit. Là où avaient vécu trois cents personnes, il y en avait maintenant six cents.

À partir de ce jour, chacun partageait son lit avec quelqu'un d'autre. Hannah et Gabi dormaient sur le même lit étroit.

Dehors, on plantait des poteaux de métal en ligne droite et on déroulait du fil barbelé. Alballalager était à présent divisé par le milieu en deux camps surpeuplés. De nouveaux convois arrivaient nuit et jour, et tout le monde dans le camp dormait à deux dans un même lit, parfois à trois.

Selon la rumeur, les prisonniers polonais qui avaient vécu misérablement sous les tentes, dormaient désormais dehors. Les fils barbelés qui divisaient les deux camps étaient recouverts de bottes de paille. Hannah pouvait entendre le bruit des nouveaux arrivants et sentir la saleté, mais l'épaisse barrière de paille l'empêchait de voir leurs visages.

De toute façon, il était formellement interdit de leur parler.

Nuit et jour, des gardes armés de fusils surveillaient les prisonniers du haut des miradors. Le moindre échange à travers les barbelés était puni de mort. Mort par balle ou tout autre moyen cruel. Malgré cela, quelques femmes du baraquement étaient curieuses de leurs nouveaux voisins. La nuit, elles traînaient du côté de la clôture de paille et de barbelés, et essayaient d'intercepter quelques nouvelles. Mais pas Hannah. Elle n'allait jamais près de la clôture.

Comme leur camp était surpeuplé au point d'éclater, les rations de nourriture avaient été réduites. Avant, la nourriture était mauvaise et pauvre ; maintenant, il n'y en avait presque plus. Les gens ne parlaient plus que de nourriture. Ils ne pouvaient penser à rien d'autre. Certains volaient du pain pour les enfants qui avaient faim, mais d'autres volaient le pain des enfants pour le manger eux-mêmes.

Le soir, les prisonnières se rassemblaient autour du poêle de fortune, où quelques morceaux de bois brûlaient, fournissant une maigre chaleur. Les conversations finissaient toujours par aborder le sujet de la nourriture. Mme Abrahams racontait qu'elle rêvait d'une soupe, une soupe de poulet avec de gros morceaux de matzoh*.

Une autre femme rêvait de gâteaux de fête, saupoudrés de sucre.

Gabi et les autres petits ne savaient pas ce qu'étaient les gâteaux de fête, et ils avaient oublié ce qu'était un poulet. On essayait d'expliquer aux enfants le goût du sucre, mais c'était sans espoir, car personne n'arrivait à trouver les mots exacts pour décrire sa merveilleuse saveur et le goût des gâteaux.

* Pain azyme servi le jour de la Pâque.

Hannah, elle, rêvait d'un énorme petit déjeuner, le genre de petit déjeuner qu'elle et Anne auraient pris le lendemain d'une soirée-pyjama. Tout d'abord elle imaginait un bain chaud, puis un petit déjeuner au lit, sous un édredon de plume. Elle adorerait manger un œuf, de préférence cuit à la coque. Elle mangerait des toasts. Les toasts seraient chauds. Et, encore mieux, les toasts seraient recouverts d'un beurre riche et fondant.

« Et du café chaud avec de la vraie crème », songeait Hannah, au bord de l'évanouissement.

Chapitre 19

La fête de Hanoukka approchait, et Mme Abrahams voulait organiser quelque chose de spécial pour les enfants. À cause du manque de nourriture, tout le monde avait mal à la tête, aux articulations, aux dents. Les gens perdaient souvent la notion du temps. Ils étaient faibles et nauséeux. Leur pensée devenait confuse.

Tiraillée par l'atroce sensation de faim, Hannah s'inquiétait constamment pour son père. Depuis que les rations alimentaires avaient diminué, il était devenu squelettique. Ses yeux s'étaient enfoncés dans son crâne et son visage était gonflé par un œdème. Malgré cela, il conservait une attitude digne et passait son temps libre à soutenir les malades et les vieux.

Des gens mouraient la nuit, dans leurs lits, ou au moment de l'appel : certains s'asseyaient seulement, et ne se relevaient plus. Les corps étaient ramassés, mis sur des brancards et versés dans des fosses. Quand Hannah passait devant l'une de ces fosses puantes pleines de cadavres, elle détournait les yeux. Des oiseaux noirs affamés survolaient ces fosses toute la journée en poussant des cris perçants. Un jour, elle décida qu'elle ne repasserait plus jamais dans cette partie du camp.

Pour préparer Hanoukka, Mme Abrahams mettait de côté quelques miettes de nourriture. La tante de Mme Abrahams, qui travaillait aux cuisines, chipa quelques tranches de patates frites et la moitié d'une carotte. De toute façon, personne n'avait envie de faire la fête. On parla peu de cette célébration qu'on avait toujours appelée la fête des lumières. Les morceaux de nourriture furent partagés et mangés avec peu d'entrain. Au moment où on alluma les bougies de fortune que M. Goslar avait fabriquées avec un peu de margarine, tout le monde poussa un soupir de soulagement.

Dans le baraquement, une femme raconta à Hannah que, contrairement à la rumeur, il n'y avait pas que des Polonais et des Hongrois de l'autre côté de la clôture, il y avait aussi des femmes hollandaises qui venaient d'Auschwitz, en Pologne. Lorsque Hannah apprit cela, elle attendit la nuit et se dirigea vers la porte. Une femme lui rappela qu'il neigeait. Une autre lui recommanda d'éviter le projecteur et de ne pas s'approcher de la clôture.

Elle se faufila dehors. Une neige épaisse tombait. Les flocons blancs mouillaient son visage. Elle écouta. Des bourrasques de vent s'abattaient sur le camp. Elle crut entendre des voix étouffées parler en néerlandais. Mais le vent se mit à siffler, et il noya les voix trop faibles. Elle redoubla d'attention pour entendre. Le faisceau de projecteur balaya les baraquements, puis disparut derrière le coin d'un bâtiment.

Quand le vent se calma enfin, Hannah tendit de nouveau l'oreille. Au lieu du néerlandais, elle entendit une femme qui chantait en tchèque d'une voix rauque. « J'ai dû me tromper, pensa-t-elle. C'est mon imagination qui m'a joué un tour. »

Elle retourna à sa baraque et s'allongea sur son lit dur, à côté de Gabi. Elle s'endormit en pensant très fort à la nourriture.

Chapitre 20

L'année 1945 commença par un froid mordant. On murmurait que les Allemands étaient en train de perdre la guerre. C'était ce qui se disait, mais personne n'avait de preuves. Les gardes nazis étaient toujours aussi cruels. Des avions volaient au-dessus du camp jour et nuit. Rien, en dehors des rumeurs, n'indiquait que les oppresseurs perdaient la guerre.

« Et si c'était vrai ? se demandait Hannah. Mais peut-être est-il déjà trop tard ? Combien de temps tiendra papa ? Combien de temps encore pourrai-je tenir, moi, et Gabi, et chacun d'entre nous ? »

Un après-midi, pendant que Hannah travaillait à l'atelier, on entendit une explosion près de la baraque de son père. Un avion de chasse avait lâché plusieurs bombes, et une partie des bâtiments avait été touchée. Plus tard, M. Goslar lui apprit qu'heureusement, ils se trouvaient tous à l'extérieur, sauf un homme, qui était en train de prier à un bout du baraquement, près de son lit. Quand la bombe avait explosé, un seul lit avait été détruit, celui de cet homme. S'il était resté dedans, il aurait été tué.

M. Goslar était très malade. Son visage avait un teint cireux. Comme presque tous les hommes dans le camp, il avait des vêtements élimés et sales. Un jour, il caressa la joue de sa fille et lui assura que, très bientôt, ils seraient échangés contre des prisonniers allemands. Hannah lui lança un regard sceptique, mais il lui demanda de ne pas perdre espoir.

Peu de temps après, un homme vint à l'atelier pour annoncer à Hannah que son père avait été transféré à l'hôpital. Lorsqu'elle alla lui rendre visite, il dormait. Elle contempla son visage gris, pleine d'inquiétude.

Quand vint le mois de février, cela faisait un an que Hannah était à Bergen-Belsen. Sa vie de tous les jours était de plus en plus pénible. Une fois son travail terminé, elle tendait ses mains gelées et violettes vers la pauvre chaleur du poêle. Elle frictionnait ses membres engourdis et des picotements douloureux parcouraient ses mains.

Un jour, Mme Abrahams dit à Hannah qu'elle avait bien entendu, qu'il y avait des Hollandais de l'autre côté de la clôture. En fait, une femme de là-bas avait affirmé qu'il y avait quelqu'un qui connaissait Hannah.

Hannah réunit tout son courage pour affronter le danger, et quand la nuit tomba, elle courut le plus vite possible à la clôture. Elle pria pour que le garde ne la remarque pas, pour que la lumière du projecteur ne passe pas sur elle. « Je suis folle de tout risquer en faisant cela » se disait-elle. Mais un contact avec un Hollandais, cela représenterait tant pour elle ! Elle était prête à prendre tous les risques.

Elle appela tout doucement en néerlandais à travers le barbelé et la paille. Une voix lui répondit, en murmurant :

– Qui êtes-vous ?

Hannah entendit quelqu'un bouger, mais elle ne pouvait rien voir à travers la paille.

– Je suis Hannah Goslar, de Amsterdam sud.

Elle entendit la voix répondre en néerlandais : « Hanneli Goslar ! C'est moi, Mme Van Daan, l'amie de la famille Frank. »

Hannah se souvenait un peu de Mme Van Daan. Son mari avait travaillé avec M. Frank au bureau. Quand ses parents allaient chez les Frank pour prendre un café le dimanche après-midi, les Van Daan et leur fils Peter faisaient parfois partie des invités.

– Savez-vous que votre amie Anne est ici ? lui demanda Mme Van Daan.

Hannah n'en croyait pas ses oreilles.

– Anne est en Suisse !

– Non. Elle est ici. Voulez-vous que j'aille la chercher ? demanda Mme Van Daan.

– Oh, oui !

– Je ne peux pas amener Margot, elle est très malade, mais je vais prévenir Anne.

Hannah pria pour que le garde ne passe pas près d'elle. Son cœur cognait de joie. Comment était-ce possible ? Elle attendit, excitée mais aussi pleine de crainte.

– Hanneli ? C'est vraiment toi ?

C'était la voix d'Anne, sans aucun doute !

– C'est moi ! Je suis là !

Elles se mirent à pleurer.

– Que fais-tu ici ? On m'a dit que tu étais en Suisse, chuchota Hannah.

Anne lui raconta rapidement que la Suisse était une ruse, qu'ils avaient voulu faire croire aux nazis qu'ils s'étaient enfuis. En réalité, sa famille était entrée dans la clandestinité.

Anne expliqua qu'ils avaient été cachés pendant tout ce temps dans une annexe de l'entrepôt, derrière le bureau de M. Frank sur le Prinsengracht. Elle lui raconta que Miep Gies, une amie qui travaillait aussi pour Otto Frank, et quelques autres employés de son père s'étaient occupés d'eux pendant vingt-cinq mois, jusqu'à ce qu'ils soient arrêtés et déportés.

Pendant deux ans, Anne n'avait pas fait un pas en dehors de sa cachette. Elle n'avait pas eu le droit d'écrire une seule lettre ni de contacter quiconque. Ils avaient eu de la nourriture et des vêtements. Ils étaient au chaud. Ils pensaient qu'ils survivraient, car la guerre arrivait à sa fin et les Allemands étaient en train de perdre.

Étonnée, Hannah demanda à Anne si elle était sûre que les Allemands perdaient la guerre. Anne lui assura que c'était vrai. Comme ils avaient eu une radio dans leur cachette, elle en était sûre. Le 6 juin 1944, les Américains, les Anglais et les Canadiens avaient débarqué en France et avaient commencé à faire reculer l'armée allemande. Au même moment, à l'est, les Russes avaient aussi repoussé les Allemands. Puis elle raconta à Hannah qu'en août son groupe de clandestins avait été arrêté et mis en prison. Sa famille avait été envoyée dans les baraquements S à Westerbork. Là, Anne avait travaillé à l'atelier de piles électriques.

Hannah dit à son amie qu'elle avait été à Westerbork, elle aussi. Hannah se rappelait les têtes rasées entrevues dans les baraquements S. Elle se rappelait avoir regardé dans l'atelier des piles et avoir vu des femmes en train de travailler. Elle se rendit compte qu'Anne devait avoir beaucoup grandi, et qu'elle-même devait avoir grandi aussi.

Cela faisait près de deux ans qu'elle ne s'était pas vue dans un miroir. Anne lui dit que Westerbork était dur, mais qu'au moins sa famille n'avait pas été séparée.

– Puis, reprit Anne d'une voix émue, nous fûmes tous transférés à Auschwitz. Mon père a été déporté avec les autres hommes. Ensuite, les choses ont empiré. Margot et moi avons été transférées à Bergen-Belsen, pas ma mère. On craint le pire pour nos parents. À Auschwitz, il y avait des chambres à gaz, des milliers de gens étaient gazés et incinérés, jour et nuit !

Hannah était abasourdie : des chambres à gaz, des milliers de gens gazés... Cela était-il possible ? Cela l'était, sûrement ! Anne l'avait vu de ses propres yeux.

Anne demanda avec insistance des nouvelles des parents de Hannah. Hannah lui dit que Mme Goslar était morte à Amsterdam avant qu'ils soient arrêtés. Et aussi le nouveau-né. Elle lui parla de

Grand-père mort à Westerbork. Elle expliqua que jusqu'à présent les autres membres de la famille avaient réussi à rester ensemble. Gabi avec elle, papa et Grand-mère, tous dans le même camp, quoique dans des baraquements différents.

– Mais maintenant, dit-elle à Anne d'un ton affligé, mon père est à l'hôpital. Il est très, très malade.

– Tu as de la chance d'avoir ta famille. Je n'ai plus mes parents, Hanneli. Je n'ai personne. Et Margot est très malade.

À nouveau, elles se mirent à pleurer.

– Ils m'ont rasé la tête !

Hannah pensa : « Quel coup dur pour Anne, elle était si fière de ses cheveux épais et brillants. »

Le projecteur du mirador balaya la nuit sombre. Hannah se dit qu'Anne n'était plus la même. Et elle non plus. Elles étaient brisées, détruites.

Au comble du désespoir, Anne lui révéla qu'elle et Margot n'avaient absolument rien à manger dans leur campement. Elles étaient gelées, et Margot était très malade. Elles avaient habité sous des tentes qui s'étaient écroulées. Elle lui confia aussi qu'elles n'avaient aucun vêtement à mettre, car tout était infesté de parasites.

Hannah pensa qu'elle pourrait peut-être mettre quelque chose de côté pour elles. « Au moins nous avons un peu ! »

Elle demanda à son amie de la retrouver la nuit suivante.

Anne rappela qu'il était très dangereux de se parler comme elles le faisaient.

– Mais j'essaierai de te retrouver, Hannah ! chuchota-t-elle.

Chapitre 21

Allongée près de Gabi, Hannah pensait à l'incroyable hasard de ses retrouvailles avec Anne. Elle remercia Dieu. Bien sûr, c'était atroce qu'Anne soit ici et non en Suisse. Hannah pouvait à peine croire ce qui était arrivé. Puis elle repensa à ce que lui avait dit Anne, que la guerre arrivait à sa fin, que les Allemands étaient en train de perdre, et elle reprit espoir. « Oserais-je espérer que nous rentrerons tous à la maison ? Qu'Anne et moi nous retournerons à l'école, peut-être même ce printemps ? » pensa-t-elle.

Son cœur se mit à cogner à l'idée de cette perspective miraculeuse. Elle plongea dans ses souvenirs.

À quatre ans, quand elles ne parlaient pas encore néerlandais et qu'elles portaient des petites robes à fleurs, Hannah et Anne allaient ensemble à l'école le matin et elles restaient à la maison l'après-midi. À huit ans, elles faisaient du vélo ensemble, à dix ans, elles allaient nager l'été et patiner l'hiver, à douze ans elles jouaient au ping-pong et commençaient à parler des garçons.

Un jour, pour la fête de Pourim*, M. Goslar s'était déguisé en Hitler, il s'était peint une petite moustache en brosse au-dessus des lèvres et il était allé frapper à la porte des Frank. La vue d'Hitler leur avait d'abord causé une grande frayeur ; puis ils avaient éclaté de rire.

* C'est une fête juive très populaire, où l'on se déguise.

Hannah se rappela aussi le 12 juin 1942. Elle avait embrassé ses parents et elle s'était précipitée dans la rue. C'était l'anniversaire de son amie ; elle avait treize ans. Hannah devait la prendre au passage pour aller au collège. Comme chaque jour, arrivée au pied de l'immeuble de brique d'Anne, au n° 37 de Merwedeplein, Hannah avait sifflé les deux notes qui signalaient son arrivée. La porte s'était ouverte à toute volée et Anne s'était jetée dans ses bras. Toutes deux étaient parties dans un immense fou rire.

– Tu es toujours aussi maladroite, Hanneli ! l'avait taquinée Anne.

– *Hartelijk Gefeliciteerd*, Anne ! Joyeux anniversaire ! lui souhaita Hannah.

Anne était fière, car désormais son amie ne pourrait plus la faire enrager sous prétexte qu'elle n'avait que douze ans. Hannah avait en effet six mois de plus. Elle avait atteint l'âge vénérable de treize ans en premier.

Ce jour-là, Anne était heureuse, sa voix chantait. Le salon des Frank croulait sous les fleurs. Anne montra à Hannah une chemise bleue que ses parents lui avaient offerte. Elle lui montra les cadeaux de Margot, de Miep, l'employée de son père, de M. et Mme Van Daan, de son chat Moortje. Elles goûtèrent des chocolats fins.

Dans la chambre d'Anne, il y avait de nouveaux jeux, des livres, un nouvel album à carreaux rouges, des bijoux. Anne admit qu'elle avait été gâtée. Elle était surtout contente de son album à carreaux rouges, qui ressemblait à un album d'autographes.

Quand Hannah lui demanda si c'en était un, Anne secoua la tête et expliqua qu'elle en ferait son journal intime. Anne tenait en effet un journal. Elle notait ses pensées avec un stylo rempli d'une encre gris-bleu très particulière. Mais elle ne laissait jamais ses amis, pas même Hannah, lire ce qu'elle avait écrit. Chaque fois que quelqu'un demandait à voir ses écrits intimes, Anne les cachait d'une main et lançait à l'importun, sur un ton désinvolte : « Ça ne te regarde pas ! » Ce matin-là, Hannah n'avait même pas demandé à voir ce qu'il y avait dedans.

Après lui avoir fait admirer son nouveau journal, Anne l'avait rangé avec ses albums de cartes de familles royales, et sa collection de photos de stars de cinéma. Dans le salon, M. Frank était assis dans son fauteuil préféré. Hannah adorait M. Frank. Il était grand et maigre, il avait le crâne dégarni et lisait le *Joodse Weekblad*, comme son propre père d'ailleurs.

M. Frank avait adressé un sourire amical à Hannah. Il lançait toujours une petite blague. Comme son père ! Le père d'Anne n'avait plus le droit de travailler pour sa société, qui produisait des ingrédients pour la fabrication de conserves dans les vieux quartiers d'Amsterdam. Désormais il passait ses journées à la maison. Mais contrairement à M. Goslar, qui était sombre et pessimiste, M. Frank avait un caractère gai.

Ce jour-là, les journaux avaient publié l'ordre

pour tous les Juifs de venir déposer leurs bicyclettes avant le 24 juin à 13 heures. Les bicyclettes devaient être en bon état de marche. Les Juifs ne devaient oublier ni les pneus ni les chambres à air de rechange. Comme le vélo d'Anne avait été volé, et que les vélos de Mme Frank et de Margot étaient cachés, ils n'auraient rien à déposer. Ils jubilaient de pouvoir jouer un tour aux nazis.

Une forte odeur de café remplissait le salon. Hannah taquina Anne en lui disant que même si elle avait enfin treize ans, elle serait toujours la plus petite. Hannah avait déjà treize ans et demi. Quand les yeux d'Anne se mirent à virer au vert – signe certain de grande colère –, Hannah arrêta de blaguer.

Anne ne le savait pas encore, mais Hannah, Sanne, Ilse et Jacque s'étaient cotisées pour lui offrir un livre, *Sagas et légendes hollandaises*, qu'elles lui donneraient après les cours.

Il régnait dans la pièce une savoureuse odeur

fruitée. Elles savaient que Mme Frank était en train de préparer une tarte aux fraises, la tarte préférée d'Anne, même si cela devait rester une surprise.

Mme Frank avait donné à Anne un paquet de biscuits pour ses amies du collège. Anne y avait ajouté des petits gâteaux qu'elle avait cuisinés elle-même. Puis Hannah et Anne étaient parties pour l'école, accompagnées par l'odeur délicieuse des biscuits et des petits gâteaux qui s'échappait du paquet.

Mme Abrahams secoua Hannah dans son sommeil.

« Chut, Hannah. Tu gémis. Qu'y a-t-il ? »

Chapitre 22

Arrivée au chevet de son père à l'hôpital, Hannah dut se rendre à l'évidence : il ne se remettait pas. Elle lui parla d'Anne. Elle lui raconta ce qu'Anne avait dit sur les chambres à gaz. Elle vit à sa mine qu'il était très choqué. Ses yeux étaient vitreux, mais il comprenait ce qu'elle disait. De nombreux prisonniers venaient lui rendre visite car il en avait aidé beaucoup quand il le pouvait encore.

Hannah rassembla tout son courage et alla voir le médecin. Elle le regarda avec des yeux suppliants. Ses yeux l'imploraient pour qu'il les fasse partir avec le prochain échange. Le médecin fut surpris que cette grande fille brune, toute en bras et jambes osseux, le fixe comme ça. Il fallait beaucoup de courage à un prisonnier pour regarder un médecin dans les yeux.

Quand Hannah revint au baraquement, il y avait une grande agitation. On distribuait des paquets. Ce n'était jamais arrivé. Les paquets venaient de la Croix-Rouge. Hannah reçut deux paquets pour sa famille. Elle en cacha tout de suite un pour le porter à son père à l'hôpital.

C'étaient des boîtes de la taille d'un livre. Quand elle ouvrit la sienne, elle trouva des fruits secs et du pain suédois grillé. Elle en emballa une partie pour Anne.

Mme Abrahams vit que Hannah se préparait à sortir du baraquement. Elle la supplia de ne pas retourner à la clôture, disant qu'elle avait eu de la chance une fois, mais elle n'en aurait peut-être pas une deuxième fois. Hannah lui expliqua qu'elle était entrée en contact avec sa meilleure amie d'enfance. Elle parla à Mme Abrahams d'Anne Frank, et des conditions terribles dans lesquelles les gens vivaient de l'autre côté de la barrière. Sans hésiter, Mme Abrahams tendit à Hannah un peu de nourriture pour compléter le paquet. Il y avait un gant, du pain suédois et des fruits secs, et ce qu'elle avait gardé du repas du soir.

Hannah attendit qu'il fasse noir et traversa le camp jusqu'à la clôture de fil barbelé. Avec précaution elle chuchota : « Anne ? Tu es là ? »

La réponse arriva tout de suite : « Oui, Hanneli, je suis là. »

La voix d'Anne tremblait. Elle dit à Hannah qu'elle l'avait attendue. Hannah lui dit qu'elle avait un paquet pour elle, qu'elle allait le lui lancer.

Hannah se sentait très faible, mais elle rassembla ses forces et envoya le paquet par-dessus la barrière.

Il y eut aussitôt un bruit de bagarre. Puis quelqu'un courut, et Anne poussa un cri de désespoir.

– Qu'est-ce qui s'est passé ?

Anne pleurait.

– Une femme a couru et me l'a arraché des mains. Elle ne me le rendra pas !

Hannah l'appela :

– Anne ! J'essaierai encore, mais je ne sais pas si je pourrai y arriver.

Anne était accablée. Son amie la supplia de ne pas perdre courage.

– J'essaierai. Dans quelques jours. Attends-moi.

– J'attendrai, Hanneli.

Hannah fila à toute vitesse dans la neige, en évitant la lumière du projecteur.

Chapitre 23

Quelques jours plus tard, Hannah était prête pour une nouvelle tentative. Elle réunit le reste du pain suédois, des fruits secs et de maigres vivres. Mme Abrahams et d'autres femmes du baraquement ajoutèrent des miettes de pain et une paire de chaussettes. Ce n'était pas beaucoup, mais ici c'était un trésor.

Quand elle fut sur le point de partir, quelqu'un l'avertit que la lune était très lumineuse et se reflétait sur la neige. Mme Abrahams avait très peur pour elle.

Hannah quitta le baraquement. La lune brillait, et le camp couvert de neige avait une allure surnaturelle. Le faisceau du projecteur passa. « Dieu, je vous en prie », pensa Hannah en se dirigeant vers la barrière de fil barbelé et de paille.

Elle entendit murmurer son nom.

– Hanneli ? C'est toi ?

Anne attendait déjà.

– Oui, c'est moi. J'envoie quelque chose pardessus la barrière.

Elle avait très peu de forces, mais elle tendit son bras en arrière et jeta.

Le paquet vola au-dessus de la clôture. Elle entendit la voix fébrile d'Anne.

– Je l'ai !

Puis elle entendit son amie tressaillir en découvrant les chaussettes et la nourriture. Une petite quantité de nourriture, même infime, pouvait maintenir un prisonnier en vie quelques jours de plus.

Elles convinrent de se retrouver dès que possible.

– À bientôt ! lancèrent-elles d'un même élan.

Le paquet avait rendu la voix d'Anne plus gaie.

Hannah décampa aussi vite qu'elle put. Il lui restait encore tant de choses à dire à Anne ! Et il y avait tant de choses qu'Anne ne lui avait pas dites. « La prochaine fois », se promit-elle. Hannah était très visible sous le clair de lune, mais cette fois encore elle eut beaucoup de chance.

Quand elle rentra au baraquement, Mme Abrahams et d'autres femmes l'attendaient avec angoisse. Elles lui réservèrent une place tout à côté du poêle. Gabi était réveillée. Elle vint serrer fort Hannah dans ses bras. Personne n'en avait parlé, mais elles savaient toutes qu'elle pouvait être exécutée pour avoir fait ce qu'elle venait de faire. Hannah espérait que la prochaine fois elle pourrait trouver encore plus de nourriture à lancer par-dessus la barrière pour Anne et Margot.

Quelques jours plus tard, le garde interpella Hannah à l'appel et lui dit qu'elle, sa sœur, son père et sa grand-mère étaient sur la liste pour le prochain échange.

– Cela est-il possible ? Quand aura lieu cet échange ? demanda-t-elle.

– Demain, lui dit-il.

Hannah se précipita à l'hôpital. Son père allait très mal. Quelques-uns de ses amis priaient avec lui. Quand Hannah lui annonça la nouvelle, il demanda à l'un d'eux d'aller dans son baraquement et de lui apporter des vêtements propres.

M. Goslar était bien trop malade pour pouvoir s'habiller, mais l'homme partit quand même. Quand il revint, Hannah et l'infirmière aidèrent son père à enfiler ses vêtements. Elle le regarda avec admiration. Assis sur son lit, avec son costume, il avait beaucoup de dignité.

Quand il fut temps pour Hannah de regagner

son baraquement, son père lui demanda d'une voix faible de rester une minute de plus.

– Prions ensemble avant que tu ne partes. Remercions Dieu pour notre bonne fortune !

Ils prièrent avec ferveur.

L'échange devait avoir lieu aux premières heures du lendemain. Hannah lui promit qu'elle, Gabi et Grand-mère seraient prêtes. Elle embrassa son front osseux et se hâta vers sa baraque pour se préparer à quitter Bergen-Belsen.

Chapitre 24

Des soldats patrouillaient dans le camp. Il était impossible d'approcher la barrière pour essayer de dire au revoir à Anne. La nuit, comme toutes les nuits dans le baraquement, fut peuplée de toux, de gémissements, de bruits de respiration difficile. Avant le départ des Goslar à l'aube, Mme Abrahams promit de faire passer un message à l'amie de Hannah de l'autre côté de la clôture.

– Dites-lui que nous retournerons sûrement à

l'école cet automne... Cela ne fait que trois ans... Je la verrai à Amsterdam !

Il fallait quitter Mme Abrahams et ses enfants. Les adieux furent pénibles.

–Viens, Gabi ! dit Hannah, et elle se retourna, se hâtant vers l'hôpital dans le froid glacial.

À l'hôpital, le médecin allemand aperçut Hannah et vint vers elle. Il l'informa que son père était mort pendant la nuit.

Aussitôt, Hannah pensa qu'il savait qu'il n'était pas assez fort pour partir. Elle se dit qu'au moins il était mort habillé de vêtements propres, certain que ses filles feraient partie du convoi qui les emmènerait loin de l'enfer. Le médecin lui expliqua que son père avait voulu qu'elle, sa sœur et sa grand-mère soient échangées sans lui.

Hannah prit la main de Gabi et son sac à dos. En état de choc, elle se dirigea vers le bâtiment de l'administration, où attendait sa grand-mère.

Avec Gabi et Grand-mère, elle resta dehors dans

un froid glacial avec plusieurs centaines de gens qui étaient sur la liste de l'échange. Ils attendirent pendant quatre heures, les mains et les pieds engourdis par le froid. Finalement, un SS sortit du bâtiment et annonça :

– L'échange est annulé. Retournez à vos baraquements.

Grand-mère retourna à sa baraque, et Hannah et Gabi se traînèrent jusqu'à la leur. Quand elles arrivèrent, deux femmes couvertes de plaies occupaient déjà leurs lits ; mais Mme Abrahams les fit partir et posa leurs sacs sur le lit.

Elles s'effondrèrent.

C'était le 25 février 1945.

L'état de choc dura quelques jours. Pendant cette période, Hannah se déplaçait dans le camp comme une somnambule. Elle ne dormait pas, mais elle n'était pas non plus réveillée. Elle pensait sans cesse qu'elle était comme Anne, sans parents. La nuit, elle restait allongée dans son lit sans dormir.

Elle ne devait pas sombrer. Désormais, elle était une mère et un père pour Gabi.

Elle pria. Son esprit était brouillé, elle ne pouvait même plus penser ; mais elle savait que son père et sa mère auraient voulu qu'elle tienne bon. Et Dieu aussi. Pourtant elle n'arrivait pas à sortir de sa torpeur. Elle ne s'occupait plus de savoir si elle aurait à manger. Elle ne pensait plus qu'à une chose : « Je n'ai personne, je n'ai plus de parents, comme Anne. »

Quand elle se relevait, elle avait la tête qui tournait. Ses genoux se dérobaient sous elle, et elle devait se tenir au montant du lit. Lentement, pour retrouver son équilibre, elle marcha de long en large au fond de la baraque qui résonnait des plaintes des prisonniers malades. Les mourants, eux, ne faisaient presque aucun bruit. Des rats détalaient sur le plancher et sautaient d'un lit à l'autre.

Puis elle se risqua dehors. La lune éclairait d'une lumière froide et impitoyable le décor atroce des fils barbelés, de la neige sale, des bâtiments en bois. Il y avait un nombre incroyable de charrettes remplies de cadavres. Le froid paralysait Hannah. Elle se dirigea vers la clôture barbelée pour appeler Anne, pour lui parler de la mort de son père.

Quand elle s'approcha, quelqu'un lui apprit que la section de l'autre côté de la barrière avait été entièrement vidée. Le camp n'existait plus. Elle se tint près de la clôture et tendit l'oreille. En effet : aucun son ne parvenait de l'autre côté. Il n'y avait que le vent, la neige et la puanteur. Où avaient-ils emmené Anne et Margot Frank ?

Hannah retourna à son baraquement. Elle resta près du poêle, elle ne voulait pas se coucher de crainte de ne plus jamais se relever. Elle pria. Quand on apporta le chaudron de soupe, Mme Abrahams lui ordonna : « Mange ! »

Pour Gabi, Hannah fit l'énorme effort d'avaler quelques cuillerées.

Chapitre 25

Hannah savait qu'elle souffrait du typhus. Elle avait constamment de la fièvre, des frissons, la nausée. Elle n'arrivait pas à se tenir debout à cause du vertige. Elle avait vu tant de gens mourir du typhus ; même si son cas était encore léger, elle savait que son état risquait d'empirer.

En mars, elle put enfin voir Grand-mère un court instant. La vieille dame lui donna une bague en diamant qu'elle avait réussi par miracle à garder cachée. Quinze jours plus tard, ses forces l'abandonnèrent et elle mourut.

Au début du mois d'avril, on annonça que le camp entier allait être évacué. Le bruit courait que tous les prisonniers seraient transférés vers un autre camp qui s'appelait Theresienstadt. On murmurait que Theresienstadt avait des chambres à gaz, que les nazis voulaient se débarrasser d'eux pour tenter de dissimuler leurs crimes.

Le jour du départ, on leur ordonna de préparer leurs affaires. Malgré sa grande faiblesse, Hannah s'exécuta. Mme Abrahams fit aussi ses maigres bagages. Ils furent conduits vers la gare avec tous les enfants et des milliers de personnes, pataugeant dans l'inévitable boue grise.

Alignée en rangs, la foule attendit des heures et des heures que les trains arrivent. Hannah ne cessait de scruter la foule pour tenter d'apercevoir Anne et Margot. Peut-être étaient-elles transférées elles aussi ? La lune se leva, mais les trains n'arrivaient pas. Il n'y avait pas non plus le moindre morceau de pain pour soulager la faim intense qui les tenaillait. Et puis la lune se mit à décliner, et la nuit tomba, d'un noir d'encre. On ne distinguait aucune étoile. Et toujours pas de train. Ils étaient debout, toujours, toute la nuit. Et toujours pas de train. Et pas d'Anne ni de Margot.

À l'aube, le train arriva enfin. Hannah n'avait jamais vu un train aussi long. Il devait y avoir au moins cinquante voitures. Des wagons à bestiaux, seulement des wagons à bestiaux. Sauf au centre, où l'unique voiture de voyageurs était déjà pleine de soldats allemands qui surveillaient le convoi.

Mme Abrahams, son mari, leurs sept enfants, Gabi et Hannah s'accrochèrent les uns aux autres dans l'espoir de rester ensemble. Ils furent conduits par les SS comme un troupeau d'animaux vers les wagons. Hannah et Gabi furent très vite séparées de la famille Abrahams et embarquées dans une autre voiture. Dans son wagon, Hannah reconnut aussitôt une amie de Mme Abrahams : Mme Finkel. Elle aussi avait sept enfants. La plupart des gens qui avaient été poussés dans ce wagon étaient des Hongrois.

Quand le wagon fut rempli, la porte coulissante se referma. Un seul rai de lumière passait à travers une mince ouverture. Le wagon était plein à craquer ; tous se tenaient serrés les uns contre les autres. Ils attendirent longtemps. Puis soudain, le train fit une embardée ; les roues grincèrent contre les rails. Par l'étroite ouverture ils pouvaient entrevoir les fils barbelés, les saules pleureurs pleins de nouveaux bourgeons, les champs immenses et vides.

Le train roula toute la journée et toute la nuit. Il s'arrêtait et repartait souvent. Les occupants du wagon ne pouvaient se coucher qu'en se serrant les uns contre les autres. La nuit, à travers l'ouverture, ils pouvaient voir des traînées de feu dans le ciel. Ils entendirent aussi les explosions des bombes ; mais les bombes ne les effrayaient plus.

Parfois les explosions résonnaient au loin, parfois elles étaient très proches.

Soudain le train s'arrêta d'un coup de frein sec, et la porte s'ouvrit. Un soldat qui braquait sur eux un fusil cria :

– Sortez, courez dans le champ, sortez du train ! Vite !

Le train s'était arrêté en plein milieu d'un champ. Tout le monde descendit et courut. Au-dessus d'eux, des avions volaient en rase-mottes et les mitraillaient. Les prisonniers se couchèrent sur le sol et se couvrirent la tête. Hannah protégea Gabi de son corps. Les gens hurlaient.

Et puis les avions disparurent. On leur ordonna de regagner les wagons. Hannah crut entrevoir, à dix mètres de là, une fille qui ressemblait à Anne, avec des cheveux bruns comme les siens. La fille se retourna, mais ce n'était pas Anne.

Dès qu'ils furent remontés dans les wagons à bestiaux, on ferma les portes et le train redémarra.

Chapitre 26

Le train s'arrêta et repartit ainsi pendant trois jours. Il n'y avait pas de nourriture, pas d'eau, pas d'air frais, pas d'hygiène. Dans le wagon il régnait une odeur atroce. Des hommes et des femmes, les cheveux et les sourcils grouillants de poux, s'effondraient sur la paille pourrie et mouraient.

À travers la petite ouverture, les prisonniers pouvaient voir défiler le paysage. Le quatrième jour, ils aperçurent dans le ciel des nuages teintés de rouge. Puis le train arriva dans une très grande ville où des incendies faisaient rage. Comme le train traversait la ville très lentement, ils se rendirent compte qu'elle avait été bombardée en grande partie. Il ne restait que des ruines. « C'est Berlin ! cria un homme. Regardez ! La ville est détruite ! »

Ils découvrirent des Berlinois habillés de loques, le visage gris. Des quartiers entiers n'étaient plus que des décombres. C'est ici que Hannah était née en 1928, ici que son père avait été nommé député, ministre des Affaires intérieures et directeur de la Communication avant que les nazis gagnent les élections, arrivent au pouvoir et commencent à persécuter les Juifs.

La vue de ce désastre était une véritable révélation pour les prisonniers. « Le peuple allemand a donc souffert, lui aussi ! pensa Hannah. Pas seulement nous ! »

Le train s'engagea à nouveau dans la campagne. Puis il s'arrêta encore et les portes s'ouvrirent. Un soldat leur dit : « Si vous êtes assez vaillants, allez au village et demandez de la nourriture aux paysans. »

Mme Finkel resta avec Gabi et ses enfants, tandis que Hannah et les quelques personnes qui pouvaient encore marcher partirent vers le village. Ils trouvèrent une ferme et demandèrent au fermier de quoi manger. Celui-ci leur donna des carottes et du pain. Pendant toute la durée de leur expédition, Hannah était terrorisée à l'idée que le train puisse partir sans eux. À son retour, elle décida qu'elle ne quitterait plus jamais Gabi, malgré la faim qui avait gonflé son estomac. C'était beaucoup trop dangereux, et elle était trop faible. Dorénavant, elle ne s'autoriserait que quelques pas vers un ruisseau pour avoir de l'eau.

Quand le train s'arrêta la fois suivante, elles avaient très, très faim, mais Hannah refusa d'aller chercher à manger. Mme Finkel envoya donc son fils. Pendant qu'ils attendaient sur le quai, un train rempli de soldats s'avança lentement sur une autre voie. Un soldat allemand se pencha à une fenêtre et tendit quelque chose à Gabi. C'était un biscuit. Gabi hésita, elle n'en avait encore jamais vu.

– Prends-le, lui dit Hannah. Mange-le.

Hannah regarda le soldat. C'était le premier visage allemand sympathique qu'elle voyait depuis des années. Gabi mordit dans le biscuit. En voyant son air heureux, Hannah s'agenouilla presque devant le soldat pour le remercier.

Puis on leur dit de remonter dans les trains. Mme Finkel était inquiète, elle cherchait frénétiquement son fils. Au moment où ils venaient de regagner le wagon à bestiaux, elle l'aperçut qui courait au loin. « Attendez, cria Mme Finkel aux soldats qui allaient fermer les portes, s'il vous plaît ! »

Mais malgré cela ils fermèrent les portes et le train démarra. Mme Finkel se mit à donner de grands coups sur la cloison en hurlant. Trop tard ! Le train roulait de plus en plus vite. Il était impossible pour le garçon de le rattraper. Mme Finkel resta prostrée au fond du wagon, les yeux dans le vague.

Plus tard, quand le train s'arrêta, Hannah prit conscience que s'ils ne mangeaient pas tout de suite, ils allaient mourir, à coup sûr. Elle sortit la bague de sa grand-mère qu'elle avait caché dans son sac. Elle était en or avec des diamants. D'autres aussi se mirent à sortir des biens de valeur qu'ils avaient réussi, d'une façon ou d'une autre, à cacher. Ils savaient qu'il leur restait très peu de temps. Plusieurs personnes avaient des bagues, comme Hannah.

Hannah rassembla six bagues. Elle s'approcha d'un soldat allemand et lui expliqua qu'ils avaient besoin de manger quelque chose. Elle lui montra les six bagues.

Il les prit et lui donna un petit lapin qu'on venait de tuer. L'une des femmes le fit cuire sur un feu improvisé et ils le partagèrent. Hannah dit à Gabi de mâcher lentement. Elle se demanda d'où viendrait sa prochaine nourriture. S'ils ne trouvaient rien, ils allaient mourir.

Le train roula pendant dix jours en tout. Ils étaient tous arrivés à l'extrême limite de leur résistance. Les forces de Hannah étaient complètement épuisées. Elle avait tout le temps sommeil. Elle était brûlante de fièvre et secouée en permanence par des tremblements incontrôlables. Elle ne pouvait pas retenir ses larmes.

La seule chose qu'elle souhaitait, c'était sombrer dans l'inconscience, mais elle résistait et s'accrochait à Gabi.

Un Hongrois avec de gros poux blancs sur ses vêtements était couché près d'eux. Il était très malade. Il voulut jeter le contenu du seau hygiénique par l'ouverture de la cloison. Quand il allongea le bras par-dessus Hannah, il eut un faux mouvement et un peu du contenu s'étala sur la couverture de la jeune fille.

Hannah devint hystérique. Elle avait pris tellement de précautions pour garder propre leur unique couverture ! Ce fut la seule fois où elle se laissa emporter par ses nerfs. Elle se mit à hurler et à gesticuler dans tous les sens. Elle n'arrivait plus à se maîtriser.

Et puis la crise s'arrêta d'un seul coup, et Hannah céda enfin à cet irrésistible désir de fermer les yeux.

Chapitre 27

Quand Hannah reprit conscience, le train était à l'arrêt. La porte était grande ouverte. À part quelques personnes très malades et les morts allongés sur le plancher infect du wagon, tout le monde se trouvait dehors, dans un champ. Gabi était partie aussi.

Hannah se mit debout et alla à la porte. Quelqu'un lui cria :

– Vous avez tout raté !

– Qu'est-ce que j'ai raté ? demanda Hannah, encore engourdie de sommeil.

– Les Allemands se sont rendus ! Ils ont défilé avec des drapeaux blancs dans les mains !

Elle constata qu'il n'y avait plus de gardes nulle part, pas un seul uniforme allemand en vue. Alors elle descendit du train et retrouva Mme Finkel qui était assise dans le pré, entourée de ses enfants et de Gabi. Mme Finkel était très malade, et elle ne pouvait plus avancer. Elle avait décidé d'attendre un secours médical à l'endroit même où le train s'était arrêté, avec les enfants qui lui restaient.

Hannah était tellement épuisée qu'elle réagit à peine à la nouvelle. Son esprit était tout embrouillé. Malgré leur fatigue, Hannah et Gabi partirent à la recherche de nourriture et d'un abri avec une jeune femme qui s'appelait Mme Heilbut, son fils et quelques autres. Ils s'arrêtèrent près d'un village nommé Tröbitz, mais ils ne trouvèrent pas de maison vide. À bout de forces, le groupe de huit personnes marcha encore trois kilomètres et arriva au village de Schilda. Ils découvrirent des drapeaux blancs et des draps accrochés aux fenêtres, et ils surent que le village s'était rendu. Les Alliés avaient battu les Allemands ! Là, Hannah découvrit pour la première fois la victorieuse armée russe. Des soldats épuisés, sales, qui s'étaient battus durement pour les libérer.

Un soldat russe leur dit d'occuper les maisons des nazis. Alors le groupe en haillons marcha jusqu'à ce qu'il repère une maison vide. À l'intérieur, ils trouvèrent des pommes de terre et de la confiture, et quelques rares aliments.

Mme Heilbut les mit en garde. Ils ne devaient pas manger trop, ni trop vite, car ils étaient dans un état avancé de famine. Ils ne devaient manger que très peu, sinon ils mourraient. « Quelle horreur ! Mourir au moment où nous sommes enfin libres ! » pensa Hannah.

Mme Heilbut emmena Hannah dans le jardin. Elle désigna un fouillis de hautes herbes. « Cueille-les. On va s'en servir comme légumes. »

Hannah cueillit des orties. Mme Heilbut les fit cuire dans une casserole. Hannah avait une faim de loup, mais elle but lentement, mangea de la confiture, des pommes de terre et des orties en petites quantités. Mme Heilbut avait du mal à mastiquer car ses dents étaient toutes cariées.

Mme Heilbut remarqua que la maison appartenait au maire du village. Hannah entra dans l'une des chambres. Dans le placard, elle trouva une robe de jeune fille à sa taille. Une fille de son âge avait certainement habité cette maison.

Elle la mit. C'était une robe d'hiver en laine noire. Immédiatement, elle fit une boule de ses vieilles affaires sales. Elle sortit à l'arrière de la maison et jeta les vêtements infects qui étaient depuis longtemps devenus des loques.

La nuit, après avoir couché Gabi, Hannah grimpa dans le lit de la fille et se glissa sous l'épais édredon de plume. C'était doux et chaud. La guerre était vraiment finie. Dans son état d'épuisement, elle trouvait magique d'être à nouveau au chaud. Quand elle regarda autour d'elle, elle remarqua une tapisserie vert clair sur le mur à côté du lit. Au centre de la tapisserie trônait une croix gammée vert foncé. De toute évidence, la maison avait appartenu à des nazis.

Hannah tourna le dos à la tapisserie et s'endormit en savourant sa première soirée de liberté.

Chapitre 28

Quelques jours plus tard, un soldat de la victoire, un Allié, vint les trouver et demanda à Hannah :

– Quel est votre nom ?

Elle répondit :

– Hannah Elisabeth Goslar.

– Et elle ?

– C'est ma sœur Gabi.

– Quel âge avez-vous ?

– Seize ans.

– Et votre sœur ?

– Elle est née le 25 octobre 1940. Elle a quatre ans et demi.

Hannah lui raconta qu'elle était hollandaise et qu'elle avait été arrêtée à Amsterdam et déportée. Elle ne voulait pas lui dire qu'elle était née en Allemagne. Elle avait honte d'être allemande. Quand il lui demanda si elle savait où pouvaient se trouver les autres membres de sa famille, elle lui dit qu'elles n'étaient plus que toutes les deux. Tous les autres étaient morts, elles n'avaient personne.

Partout dans les rues du village il y avait des cadavres recouverts de draps. Hannah lui demanda s'il savait ce qu'était devenue une certaine Mme Abrahams qui se trouvait dans leur train. Il fit glisser son doigt le long d'une liste de noms et lui apprit que Mme Abrahams, son mari et un de leurs fils étaient morts peu de temps après la Libération.

C'était épouvantable !

– Y a-t-il Anne ou Margot Frank sur une de vos listes ? demanda Hannah.

– Non ! répondit le soldat.

Il leur distribua des cartes de rationnement et leur dit de les utiliser pour acheter de la nourriture.

Dans un magasin, on leur donna des saucisses, du pain et du lait. Un simple regard sur leurs silhouettes émaciées suffisait aux soldats pour comprendre qu'ils venaient des camps de concentration. « Mangez très peu à la fois, et très lentement ! leur conseillaient-ils. Dans un village près d'ici, des gens ont trouvé dans des fermes beaucoup de nourriture ; certains ont tellement mangé qu'ils sont morts de diarrhée. »

Quelques semaines plus tard, un soldat leur dit de se réunir au village, à huit heures le lendemain matin, avec leurs affaires.

Ils le firent. Mme Heilbut, son fils, Hannah et Gabi montèrent dans des camions militaires avec d'autres survivants. Les camions roulèrent à travers la campagne allemande dévastée, ils passèrent par des villages bombardés et brûlés, et croisèrent des Allemands dans un état misérable.

Et puis les camions arrivèrent à Leipzig. Le groupe de Hannah fut hébergé dans une école. Des lits de camp et des cuisines de fortune avaient été installés pour les accueillir. D'autres survivants arrivèrent, de Bergen-Belsen ou d'autres camps de concentration. Hannah gardait les yeux ouverts au cas où Anne et Margot, ou bien d'autres personnes qu'elle connaissait, seraient dans l'un des groupes.

Trois jours plus tard, on les accompagna jusqu'à un magnifique train de la Croix-Rouge.

Le train roulait lentement à cause de la voirie très endommagée. Des agents de la Croix-Rouge distribuèrent de la nourriture aux passagers, du bacon et des œufs. « C'est ma dernière chance de goûter du porc », pensa Hannah, qui mangeait kasher*. Elle

* Nourriture préparée suivant les préceptes de la religion juive. Le porc, le lièvre et le chameau sont interdits, et les autres viandes doivent provenir d'animaux abattus selon des règles strictes sous le contrôle d'un rabbin.

prit un petit morceau de viande rose. Ça n'avait pas de goût. À côté d'elle, quelqu'un mangeait du jambon et des œufs. Elle se demanda quel goût avait le jambon.

Au bout de quelques jours, le train s'arrêta. La pancarte de la gare indiquait « Maastricht ». Hannah expliqua à Gabi qu'elles avaient atteint la frontière des Pays-Bas, mais la petite regardait par la fenêtre sans comprendre.

« Nous n'avons plus de maison, pensait Hannah, notre famille n'existe plus. »

Le long du chemin de fer, on voyait des façades de maisons sans escaliers ; les gens avaient utilisé le bois pour se chauffer. On distinguait des silhouettes sur des bicyclettes noires cassées. Les Hollandais paraissaient à bout de forces. On sentait qu'ils avaient connu la faim, eux aussi.

Le groupe de Hannah fut conduit à un vieux château. Pendant qu'ils empruntaient l'allée qui menait à l'entrée, ils croisèrent une file de

Néerlandais en bonne santé, gardés par des soldats américains et canadiens, qui en sortaient. Quelqu'un expliqua à Hannah que c'étaient des nazis hollandais qui avaient collaboré avec les Allemands et qu'on venait d'arrêter pour les condamner.

Hannah examina la file des gens qui avançaient entre les soldats. C'était des hommes et des femmes ordinaires. En arrivant à leur hauteur, le fils de Mme Heilbut cracha dans leur direction.

Tout le monde se mit en rangs et reçut des vêtements propres, fraîchement repassés et qui sentaient le savon. Puis on leur donna des chaussures qui fleuraient bon le vrai cuir. Ces odeurs de neuf et de propre transportèrent Hannah de bonheur.

On les fit examiner par un médecin. Quand ce fut le tour de Hannah, le médecin l'ausculta soigneusement. Il lui annonça que ses poumons étaient malades.

– Vous devez vous rendre directement à l'hôpital et y rester en attendant qu'on vous trouve une place dans une maison de repos.

– Je ne peux pas..., commença Hannah.

Mais Mme Heilbut l'interrompit et lui dit qu'il fallait qu'elle accepte.

Le 1er juillet, Hannah dit au revoir à Gabi et fut conduite à l'hôpital de Maastricht. Une sœur catholique, qui portait un grand habit blanc flottant, l'attendait à la porte. Hannah se sentait mal à l'aise. La nonne avait l'air sévère et rigide. Mais elle fit à Hannah un grand sourire, et l'adolescente se laissa conduire vers un petit lit avec des draps frais.

Chapitre 29

Hannah resta à l'hôpital pendant plusieurs mois.

Un jour, une sœur lui annonça qu'elle avait une visite.

Des gens généreux avaient offert des cadeaux aux patients de l'hôpital, et Hannah avait reçu de jolis vêtements. Ce jour-là, elle portait une robe toute propre qui mettait en valeur sa silhouette qui avait mûri pendant ces deux dernières années, et ses longues jambes. Ses cheveux avaient repoussé et avaient retrouvé tout leur brillant.

Derrière la sœur apparut le père d'Anne, Otto Frank.

Hannah n'en revenait pas. Elle s'élança vers lui en s'exclamant :

– Je crois que vos filles sont vivantes !

Otto Frank devint blême.

Hannah lui raconta comment elle avait pu parler avec Anne à Bergen-Belsen juste avant la fin.

– Anne est vivante, Monsieur Frank ! Mais Margot très malade.

Calmement, Otto Frank lui expliqua que lui aussi avait espéré. Malheureusement, il venait de recevoir une lettre d'une femme qui avait été avec Anne et Margot juste avant la libération de Bergen-Belsen. Elle lui disait qu'Anne et Margot n'avaient pas survécu.

Ils s'assirent l'un près de l'autre.

« C'est tellement injuste ! » pensa Hannah. Son amie avait tenu jusqu'au bout. Elle lui avait parlé à peine quelques semaines avant la fin de la guerre. Elle avait dû mourir juste avant la Libération. Hannah regarda M. Frank. Elle était sûre que si Anne avait su que son père était en vie, elle aurait trouvé la force de continuer à vivre.

M. Frank expliqua à Hannah qu'il avait vu son nom sur une liste des survivants. Il avait aussi vu Jacque à Amsterdam, elle allait bien. Il n'avait pas de nouvelles de Ilse ni de Sanne, il savait seulement qu'elles avaient été déportées, elles aussi. Il lui dit que les moyens de transport étaient en si mauvais état qu'il avait mis huit heures pour aller d'Amsterdam à Maastricht, alors qu'il en fallait une et demie habituellement.

En septembre, Hannah fut transférée de l'hôpital de Maastricht vers le Joodse Invalide Hospital d'Amsterdam. Le grand bâtiment avait autrefois appartenu aux Juifs de la ville. Il avait été confisqué par les nazis, puis restitué après la guerre.

Certains étages étaient réservés à l'hôpital, d'autres à l'orphelinat.

Hannah, qui souffrait toujours des poumons, y retrouva les Heilbut. Gabi était dans un orphelinat tout proche, elle prenait des forces. Jacque vint lui rendre visite, elle était devenue une adulte ; et aussi son amie Iet Swillens, qui apporta quelques photos, dont une qui avait été prise à un anniversaire d'Anne.

Mme Goudsmit, son ancienne voisine, vint aussi la voir. Elle apporta à Hannah un album de photos de toute la famille Goslar. On le lui avait confié pour qu'il soit en lieu sûr. Hannah la remercia avec émotion.

Elle se sentait encore trop affaiblie pour se rendre dans son ancien quartier. De toute façon, elle ne tenait pas vraiment à y retourner. Elle apprit qu'après leur arrestation les Allemands avaient confisqué tous leurs biens et qu'ils les avaient envoyés en Allemagne. Des étrangers s'étaient installés chez eux. Aujourd'hui, bien que la guerre soit terminée, ces gens occupaient toujours l'appartement.

Elle apprit aussi qu'Alfred Bloch avait été envoyé dans le camp de concentration de Mauthausen et que personne n'avait plus jamais eu de ses nouvelles. Sanne et Ilse, comme Anne, Margot et Mme Frank, n'étaient pas non plus revenues des camps. Chaque jour qui passait, la liste des victimes, juives et aussi chrétiennes, s'allongeait.

M. Frank venait souvent lui rendre visite. Hannah se rappelait comment Anne et elle l'observaient verser de la bière dans son verre, quand elle venait dîner. Elle lui raconta comment elles retenaient leur souffle dans l'espoir que la mousse déborde du verre, mais qu'elle ne débordait jamais. Parler de ces moments lui faisait venir le rose aux joues.

Il annonça à Hannah qu'il avait arrangé son départ pour un sanatorium en Suisse parce qu'elle était toujours très malade et qu'elle avait besoin d'une longue convalescence. L'unique membre survivant de la famille Goslar, son oncle, vivait en Suisse. Elle pourrait donc obtenir facilement des papiers pour elle et Gabi.

Chapitre 30

Le 12 novembre 1945, Hanneli eut dix-sept ans. Le 5 décembre, M. Frank vint la chercher en taxi. Sur le chemin de l'aéroport, ils passèrent à l'orphelinat prendre Gabi et deux autres enfants qui avaient une tante en Suisse. Hannah n'avait encore jamais pris l'avion, mais elle n'avait pas peur. Elle était plutôt curieuse de savoir ce que cela faisait de s'envoler dans le ciel.

Un petit avion attendait sur la piste. M. Frank tendit à Hannah et aux autres enfants des pièces de monnaie hollandaises montées sur une chaîne. Il passa à chacun une chaîne autour du cou. Sur un côté, il y avait le visage de la reine. Sur l'autre était gravée la date de leur voyage – 5 décembre 1945.

Hannah et M. Frank parlèrent tranquillement pendant un long moment. Hanneli se souvint que petites, elle et Anne étaient très bavardes à l'école. Mais c'était toujours Anne qui se faisait disputer, jamais Hanneli, qui avait la réputation d'une petite fille timide et sage. Anne lui disait chaque fois : « Tu as l'air timide comme ça, mais, en réalité, tu ne te laisses pas faire à la maison, pas vrai ? » Anne connaissait Hannah mieux que personne, et elle adorait la taquiner.

M. Frank révéla à Hannah que pendant qu'ils étaient cachés, Anne avait souvent parlé d'elle. Il lui dit qu'Anne regrettait beaucoup de n'avoir pas pu lui dire au revoir :

– Elle aurait aimé gommer toutes vos petites rancœurs des derniers temps, lui dit-il, très ému. Tu étais sa plus vieille amie. Je souhaite que nous restions toujours amis, que nous ne nous perdions jamais de vue. Je voudrais être un second père pour toi, Hannah.

Hanneli aurait tant voulu savoir ce qu'avait pensé Anne dans sa cachette, elle qui avait eu tellement de temps pour réfléchir. Mais comment pourrait-elle jamais connaître les pensées d'Anne ? Comment savoir si, de son côté, Anne avait comblé le fossé qui s'était creusé entre elles ? Allait-elle avoir un jour une nouvelle amie aussi proche ? Hannah avait déjà dix-sept ans, elle était presque une adulte, et Anne resterait une enfant, pour toujours.

M. Frank conduisit Hannah et les enfants vers l'avion. Il leur souhaita un bon voyage. Il attendit sur la piste pendant qu'elles grimpaient le petit escalier. Hannah installa rapidement les petites filles sur leurs sièges, plaçant Gabi à côté d'elle. Bientôt, les moteurs se mirent à rugir et l'hélice à tourner. L'avion roula sur la piste. À travers la fenêtre, elle regarda M. Frank qui faisait des signes de la main. Puis l'avion décolla, et Hannah se rendit compte qu'il fendait les airs.

L'estomac de Hannah bondit d'excitation. Elle attrapa Gabi par la main. La terre semblait disparaître. Ce n'était plus qu'une mosaïque de toits rouges, de prés vert et marron traversés par des filets d'eau. Des canaux. Des rangées d'ormes. La campagne hollandaise, parsemée des flèches des petites églises de village, des toits de chaume, des bâtiments en brique rouge. L'avion fit un grand virage, et au loin elle aperçut la côte irrégulière, la mer du Nord vert foncé. Des bateaux. Un coucher de soleil teinté d'orange.

Dans sa valise, Hannah avait rangé l'album de photos que Maya Goudsmit avait sauvé de l'appartement familial après l'arrestation. C'était tout ce qui restait de leur passé. Dans l'album, ses parents souriaient, ils étaient jeunes mariés. Il y avait aussi ses grands-parents, son oncle.

Il y avait les photos des premières années à Berlin, avant que Hitler soit élu en 1933.

Il y avait celles d'Amsterdam, Hannah et Anne devant l'appartement de Merwedeplein. C'était l'époque où M. Frank emmenait souvent les deux amies avec lui à son bureau, le dimanche.

Ces jours-là, Anne et Hanneli s'amusaient dans le grand bureau. Elles s'appelaient au téléphone, jouaient avec un tampon qui marquait la date, mettaient du papier dans la machine à écrire et s'écrivaient des lettres. Elles jetaient de l'eau sur les gens qui passaient dans la rue. « Qu'est-ce qu'on faisait comme bêtises avec Anne ! » pensa-t-elle, attendrie. La cloche de l'église de Westerkerk, au bas de la rue, sonnait toutes les quinze minutes.

Hannah ne pouvait pas savoir à l'époque que ce même bureau allait servir de cachette à Anne pendant plus de deux ans.

Dans l'album de la famille Goslar, il y avait aussi une photo de cinq petites écolières assises dans un bac à sable. Hannah avait un grand nœud dans les cheveux, les genoux d'Anne étaient couverts de bleus. C'était l'année 1937.

1939 : neuf filles, bras dessus bras dessous.

1935 : Hannah et M. Goslar.

Et puis une photo de Mme Goslar.

Et aussi la maison au toit de chaume où les Goslar louaient des chambres l'été au bord de la mer du Nord. Parfois, Anne venait les rejoindre. Des photos de Gabi et de Hannah. 1940 : Gabi était née. L'armée allemande venait d'attaquer et d'occuper les Pays-Bas. Toutes ces photos montraient qu'ils aimaient la vie. Cela, les nazis n'avaient pu l'empêcher tout à fait.

Un jour, Hannah et Anne avaient obtenu l'autorisation d'emmener Gabi en promenade. Elles avaient fièrement poussé le landau dans les rues du quartier qui bordaient le fleuve Amstel. Elles se disaient que Gabi était leur bébé. Elles prenaient les virages à toute allure, poussant ensemble le landau. Pendant leurs promenades, elles parlaient souvent de leur avenir.

– Combien d'enfants voudrais-tu avoir ? lui demandait Anne.

– Je veux dix enfants, répondait Hannah. Et toi ?

– Je ne sais pas combien, mais je voudrais être écrivain.

– Je sais. Et Margot voudrait être infirmière en Palestine.

– Oui. Et toi, tu veux vendre des chocolats dans une boutique, ou être professeur d'histoire. Pas vrai ?

– Oui.

Une fois, alors qu'elles marchaient le long de l'allée du parc bordée d'ormes, Gabi s'était endormie. Elles avaient décidé de s'asseoir un moment. Elles s'étaient dirigées vers un banc, mais, en s'approchant, elles avaient découvert un nouvel écriteau : INTERDIT AUX JUIFS.

Elles étaient stupéfaites. C'était comme si les

nazis leur avaient déclaré la guerre. Mais pourquoi ? Qu'avaient-elles fait ? Déconcertées, fâchées d'être injustement persécutées, elles avaient quitté le parc. Elles n'y revinrent plus jamais.

Alors que tant de gens n'avaient pas survécu, les photos, elles, étaient restées dans l'album, intactes. La mémoire peut se brouiller, mais les photos restent, fidèles.

La terre disparut à l'horizon pendant que l'avion virait et s'enfonçait dans les nuages gorgés d'eau. Une pluie de minuscules confettis argentés s'abattit sur la vitre. L'avion se mit à cahoter en transperçant les nuages épais et sombres. La traversée de l'orage dura longtemps.

La nuit était tombée. L'avion filait sous une nuée d'étoiles brillantes. Hannah reconnut la Petite Ourse qui ressemble à un cerf-volant à l'envers, avec ses sept étoiles qui scintillent dans le ciel noir. Pour elle, les étoiles portaient des noms : Sanne, Ilse,

Jacque, et Hannah. À l'extrémité de la queue, la plus brillante, l'étoile Polaire, celle qui aidait les premiers marins à s'orienter la nuit, c'était Anne.

Tandis que l'avion volait en direction de la Suisse, de nouvelles et jeunes étoiles se levaient à l'horizon, quand d'autres, plus anciennes, s'éloignaient dans le ciel éternel.

En souvenir d'Anne Frank

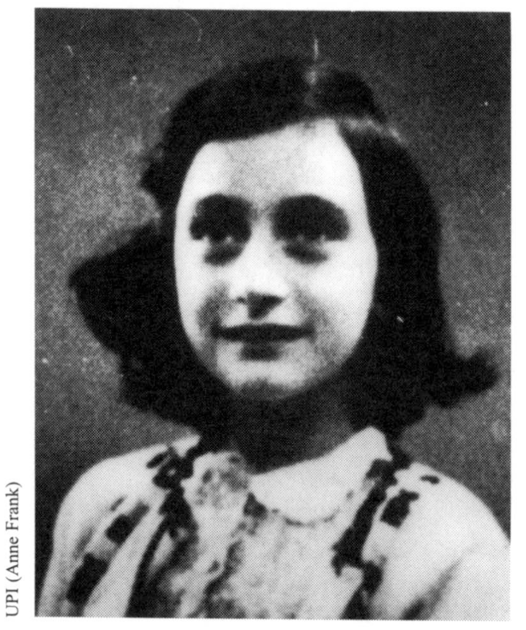

UPI (Anne Frank)

Ce que dit Hannah Goslar

« Si longtemps après, j'ai essayé de me rappeler les choses aussi exactement que possible. Mais Anne et moi sommes devenues amies il y a plus de soixante ans, et il est difficile de tout se remémorer fidèlement. Parfois, ce sont les moments exacts qui me reviennent à la mémoire, et parfois non.

Pour replonger dans ces souvenirs douloureux et raconter cette époque terrible, il fallait que j'aie une raison. La voici. Dans son journal, à la date du 27 novembre 1943, Anne a écrit : " Pourquoi suis-je celle qui doit vivre, et elle, celle qui peut-être va mourir ? "

Ironie du sort : c'est l'inverse qui est arrivé. Aujourd'hui, je suis une grand-mère heureuse en Israël, et Anne est morte à quinze ans. Pour cette raison, j'ai le devoir de raconter tout ce que je sais sur Anne. Anne Frank voulait devenir célèbre et continuer à exister au-delà de sa mort, même si elle n'a jamais pu imaginer la célébrité qui est la sienne aujourd'hui. En racontant mes souvenirs, je contribue peut-être à prolonger encore sa renommée.

Le journal d'Anne s'arrête le 1er août 1944, trois jours avant son arrestation et celle des autres clandestins par les nazis.

Puisse ce livre aider à mieux connaître Anne Frank, à reconstituer ce qui est arrivé à mon amie après la fin du *Journal.* »

Hannah Pick-Goslar
Jérusalem, Israël

Avec l'aimable autorisation de Hannah Pick-Goslar

Anne (à gauche) et Hannah devant leur immeuble, en mai 1939.

Avec l'aimable autorisation de Jan Wiegel

Hannah (cercle à gauche) et Anne (cercle à droite) dans leur classe. Amsterdam, 1935.

Avec l'aimable autorisation de Hannah Pick-Goslar

Hannah et son père. Amsterdam, 1936

Avec l'aimable autorisation de Hannah Pick-Goslar

L'anniversaire d'Anne, juin 1939.
Anne est la deuxième, et Hannah la quatrième en partant de la gauche.

Ce que dit l'auteur, Alison Leslie Gold

« J'ai rencontré Hannah Elizabeth Pick-Goslar en 1993, à Jérusalem, en Israël. Pendant des heures, elle m'a raconté les souvenirs de son amitié avec Anne Frank, qu'elle m'a autorisée à écrire.

Cela fut douloureux et difficile pour Hannah. Elle n'arrivait pas toujours à se rappeler exactement les mots et les événements, mais ils sont rapportés dans ce livre aussi fidèlement qu'elle pouvait les reconstituer.

Anne Frank mourut en 1945, à l'âge de quinze ans, dans le camp de Bergen-Belsen. Son journal, rédigé dans la clandestinité, nous a permis de connaître son histoire. Le récit poignant de Hannah Goslar nous transporte au-delà du *Journal d'Anne Frank*, jusqu'à leur dernière rencontre dans les camps nazis, peu avant la mort d'Anne. Les deux adolescentes, malgré la détresse extrême qu'elles vivaient, gardaient espoir.

Après la défaite de l'Allemagne nazie en 1945, les Pays-Bas furent libérés. En 1947, Hannah émigra en Israël. Là, elle devint infirmière et épousa le Dr Walter Pinchas. Ils eurent trois enfants et, à la date d'aujourd'hui, dix petits-enfants. Otto Frank, le père d'Anne, unique survivant de la famille, envoya à Hannah l'un des tout premiers exemplaires du *Journal d'Anne Frank*, sitôt paru.

Cette époque tragique révéla des qualités extraordinaires chez les deux jeunes filles. Il est difficile d'expliquer où Hannah Goslar et Anne Frank ont pu puiser la force et le courage pour endurer tant de souffrance et de désespoir. »

Alison Leslie Gold

Avec l'aimable autorisation de Gary Block

Hannah, ses petits-enfants et sa fille. Israël, 1994.

Cet ouvrage
a été achevé d'imprimer
en janvier 1999
par l'Imprimerie Floch
53100 – Mayenne.

3e édition.
Dépôt légal : novembre 1998.
N° d'imprimeur : 45195.
N° d'éditeur : 4168.
Imprimé en France.